KB103672

도시 재개발·재건축 공간 속 영화적 상상력

: 왜 영화는 무너지고 사라지게 될 공간을 선택하는가?

도시 재개발·재건축 공간 속 영화적 상상력

: 왜 영화는 무너지고 사라지게 될 공간을 선택하는가?

발 행 | 2024년 03월 21일

저 자 | 전범수

펴낸이 | 한건희

펴낸곳 | 주식회사 부크크

출판사등록 | 2014.07.15.(제2014-16호)

주 소 | 서울특별시 금천구 가산디지털1로 119 SK트윈타워 A동 305호

전 화 | 1670-8316

이메일 | info@bookk.co.kr

ISBN | 979-11-410-7747-1

www.bookk.co.kr

※ 이 출판물은 한양대학교 교내연구지원 사업으로 연구됨(HY-2021-G)

도시 재개발·재건축 공간 속 영화적 상상력

: 왜 영화는 무너지고 사라지게 될 공간을 선택하는가?

전범수 지음

목차

1. 영화 속 도시 공간의 매력

1) 도시 공간의 변화

도시는 계속 변한다. 그 변화를 통해 도시 속 시간이 얼마나 많이 흘렀는지 깨닫기도 한다. 문득 도시 주위를 걷다 보면, 얼마 되지도 않은 시간에 도시가 많이 바뀌어 있는 느낌을 받는다. 20년 전, 또는 30년 전 보던 도시의 전경은 이미 사라진지 오래다. 낡은 건물과 구조물들은 재건축이나 재개발을 통해 새로운 모습으로 탈바꿈하고 있다.

서울 이곳저곳에서 가림막과 비계로 가린 모습을 한 채 신축 아파트나 건물들이 우후죽순처럼 올라가는 모습을 보는 것은 흔한 일이다. 도시는 그렇게 계속 변해간다. 다만 도시가 바뀌는 방식은 재건축이나 재개발을 통해서이다. 이 같은 도시정비 사업을 통해 구도심의 허름하고 낡은 건물이 허물어지고 새로운 도시 공간이 만들어진다.

도시 공간은 그 공간이 경험했던 여러 시간과 연결된다. 공간 곳곳에 시간의 흔적이 남아 있기 때문이다. 특정 시점에 특정 공간이 갖는 느낌이나 기억은 강렬하다. 누군가에게 특정 공간은 오래 전 추억을 떠 올릴 수 있는 장소다. 가령, 우리가 졸업했던 여러 학교들을 생각해 보자. 어린이 시기, 청소년 시기, 또는 대학교 때에 다녔던 초·중·고등학교나 또는 대학교를 다시 방문해 보면 그 당시 우리가 경험했던 생각이나 추억들을 되살릴 수 있다. 게다가 그 시간과 공간 경험을 재구성해 타인들과 공유하는 것도 가능하다.

서울을 포함해 도시 공간 모습이 바뀌는 이유는 단순하다. 공간을 바꾸려는 사람들의 욕망이 반영된 것이기 때문이다. 그 욕망의 색깔은 다양하다. 어떤 색깔은 경제적인 이유와 연계된다. 오래되고 낡은 공간을 그대로 두기 보다는 투자를 통해 건물을 세우게 되면 수익성을 높일 수 있다. 건물 임대료도 올라가고 건물의 가치도 높아진다. 최소한의 투자로 최대한의 이익을 확보할 수 있다.

도시 재정비 사업은 정치적 또는 행정적 차원에서 추진되기도 한다. 가령, 특정 지자체가 도시 정비 사업을 추진하는 일은 여러 가지 목적을 달성하는 수단이다. 지역별 도시 정비 사업을 통해 지자체 세수를 확대하는 동시에 거주민 삶의 질을 높일 수 있다. 도시 정비 사업은 지자체 구성원들의 삶의 수준을 높일 뿐만 아니라 이들의 만족도는 지역 선거에 영향을 미칠 수도 있다. 그 결과, 도시 공간은 쉴 새 없이 바뀐다.

우리나라의 도시 정비 사업은 기존 건물들을 모두 헐어버리고 빈 공간에서 새롭게 판을 짜는 경우가 많다. 재건축이나 재개발 사업이 대표적이다. 반면에 유럽이나 일본 등 주요 국가 도시들은 건물이나 구조를 쉽게 바꾸지 않는다. 기본 뼈대는 둔 채 내부 인테리어 정도만 바뀌는 정도다. 이들 국가에서 1백 년 전에 세웠던 건물들이 아직도 그대로 남아 있는 일은 흔하다.

물론 해외 주요 도시에서도 대규모 재개발 프로젝트가 없는 것은 아니다. 대도시 중심으로 이루어지는 재개발 사업은 국가에 관계없이 늘 이루어지는 것 같다. 영국 런던이나 미국 뉴욕, 일본 도쿄 등글로벌 메가시티들도 마찬가지다. 이들은 도시 공간 재개발 프로젝트를 통해 도시 자체를 관광지로 만든다. 도시가 갖고 있는 공간의 가치를 높이는 시도이다.

도시 공간의 변화는 그곳에서 살아가는 사람들에게도 많은 영향을 미치기도 한다. 특히 도시의 모습이 바뀌게 되면 구성원 인간관계나 라이프 스타일도 바뀐다. 가령, 골목길이 많았던 구도심 공간에서는 이웃들이 서로 소통하고 만나는 일이 흔했다. 집과 집이 가깝고 쉽게 서로를 인식하기가 편했다. 골목길에서는 하루에도 몇 번이나 이웃들을 만날 수 있었다.

그러나 재개발이나 재건축이 마무리된 이후 새롭게 가꿔진 도시 공간은 외관상으로는 말끔하고 깨끗하지만 이웃들 간의 친밀도나 소통 정도는 오히려 줄어드는 것으로 보인다. 공간은 분리되고 타인은 배제된다. 안전에 대한 수요는 높아지는 반면에 이웃에 대한 관심도는 줄어들고 있다. 도시 재정비 사업은 단순히 경제적 또는 전시적 목적 이외에 거주하는 공동체 구성원들 간 소통에 적지 않은 영향을 미칠 수 있다.

도시에는 많은 사람들이 거주한다. 이들은 도시 속에서 일과 여가, 사람과의 만남 등 다양한 활동에 참여한다. 그리고 시간이 흐르면서 도시 공간의 모습은 다양한 방식으로 바뀌게 된다. 그 공간 속에 개인이 경험하거나 또는 공동체 모두가 공유하는 시간들이 스며들어 있다. 영화적 관점에서 도시 공간은 매력적이다. 그 공간에서 활동하는 사람들의 감정과 다양한 이야기들을 펼쳐볼 수 있는 배경이기 때문이다.

2) 영화 속 도시 공간의 특성

영화 속 공간에는 감독이나 제작진이 바라보는 현실 또는 이야기에 대한 그들의 시각이 포함된다. 영화감독이나 제작진들은 영화의 중심적인 이야기 또는 주제를 먼저 선택하고 다음으로 영화의 주제를 이끌만한 공간을 선택하기 때문이다. 영화 속 공간은 감독 또는 제작진이 선택한 결과물이다. 이들 공간은 실재하는 공간이지만 가상의 내러티브 또는 주제에 따라 재구성된다.

가령, 영화감독이 영화 이야기를 구성하면서 도시 재개발이나 재건축이 진행되면서 거주지에서 쫓겨나게 된 도시 빈민들에 초점을 맞출 것인지 아니면 도시 개발 사업을 통해 욕망을 따라가는 사람들을 다룰 것인지 그 선택은 감독이나 제작진의 몫이다. 그 선택의 결과에 따라 영화감독이나 제작진은 주제에 맞는 도시 공간을 탐색하고 결정하게 된다. 이 경우에 영화에 등장하는 공간은 실재의 공간이 아니라 영화 제작진이 설정한 내러티브에 맞는 공간적 재구성의 결과물이다.

따라서 재개발이나 재건축과 관련된 도시 정비 사업이 영화 속 핵심 주제라 하더라도 영화별로 그 공간 구성이나 방식은 완전히 달라질 수 있다. 공간에 의미를 부여하는 방식은 영화마다 다르기 때문이다. 결과적으로 영화 속 공간은 제작진들이 어떠한 의미를 어떠한 방식으로 부여하는 가에 따라 자유롭게 재구성되는 특성을 갖게 된다.

영화 속에 등장하는 도시 공간은 다양하다. 감촉으로 보면 도시 공간을 부드럽게 또는 거칠게 만들 수 있다. 온도로 접근해 보면 도시 공간을 열정적이거나 또는 냉정하게 구성할 수도 있다. 밝기에 따라 도시 공간을 만들 수도 있다. 이때에 도시 공간은 밝은 이미지가 지배적일 때도 있지만 어두운 공간이 중심이 될 수도 있다. 역사적으로는 허름하고 오래된 거리가 메인 공간이 되기도 하는 반면에 신축 건물 사이로 현대식 도시 공간이 내러티브를 이끌어 가기도 한다. 영화 속 공간은 제작자의 의도에 따라 영화가 표현하는 주제나 이야기와 연결되는 방식으로 구성된다.

영화 속 재건축이나 재개발 공간은 영상으로 만들기에 좋은 배경이다. 이들 도시 정비 공간은 일상적이기도 하지만 비일상적인 불안정한 공간이기도 하다. 특히, 재건축이나 재개발이 진행되고 있는 공간은 해체와 건축이 반복되는 순환의 공간이다. 그리고 그 공간에 인간의 욕망과 갈등이 끊이지 않고 지속된다. 공간을 둘러싼 사람들의 욕망과 관계, 그리고 이들이 살아가는 낡고 허름한 공간은 꽤나 매력적인 공간이다.

영화는 일상적이지 않은 시간과 공간을 무대로 이야기들이 펼쳐질 때 더 재미있고 흥미가 있다. 영화 제작자나 감독들이라면 누구라도 자신이 만든 영화가 다른 영화와 유사하게 보이는 것을 싫어할 것이다. 그런 점에서 재건축이나 재개발 공간은 영화 캐릭터와 이야기를 엮어 다양하게 펼쳐낼 수 있는 다양한 공간이다.

이 책은 영화 속 도시 공간의 변화와 관련해 10편의 영화 공간들을 분석했다. 분석 대상이 된 영화들은 "귀여워"(2004), "짝패"(2006), "비열한 거리"(2006), "해바라기"(2006), "염력"(2018), "소수의견"(2015), "아수라"(2016), "벌새"(2019), "무뢰한"(2015), "고양이들의 아파트"(2022) 등이다. 장르적으로는 범죄와 액션 영화가 많은 편이다. 제작년도를 중심으로 보면 10편의 영화 모두 2000년대 이후 영화들이다.

이 책을 통해 10편의 영화들 속에 포함된 재건축이나 재개발과 관련된 공간 구성이나 의미부여 방식을 살펴보았다. 이들 영화들은 장르나 등장인물, 주제 등이 대부분 다른 편이다. 그럼에도 도시 재건축이나 재개발이라는 공간 개념을 활용해 이야기를 이끌어가는 영화들이다. 이 책을 통해 각 영화별로 주요 공간 구성이 어떻게 영화의 전체 주제와 서사를 이끌어 가고 있는 가를 구체적으로 살펴보았다.

2. 10개 영화 속 도시 공간 분석

1) 황학동의 판타지: 귀여워

김수현 감독의 영화 데뷔 작품 "귀여워"(So Cute)는 2004년 개봉한 영화다. 이 영화 남자 주인공으로 캐스팅된 장선우 감독은 김수현 감독과 스승 및 제자 관계다. 한국 영화에서 제자가 스승을 자신의 영화 주인공으로 캐스팅한 일은 흔하지 않을 것이다. 영화 "귀여워"를 막상 보게 되면 감독이 스승을 주인공으로 캐스팅한 일 정도는 평범함에 가깝다. 영화 "귀여워"는 기괴함을 뛰어 넘는 비일상적이고 독특한 영화 문법을 갖고 있기 때문이다.

영화 "귀여워"는 2024년 기준으로 20년 전의 작품이다. 장르는 코미디다. 그러나 코미디라는 영화 장르로 이 작품을 정의하기가 쉽지 않다. 이야기 구성이나 캐릭터 연결 구조가 특이한 작품이기 때문이다. 그런 이유로 이 영화 장르를 단일하게 규정하는 일은 쉽지 않다. 이 영화는 기존 영화와는 다른 전복적 가치 체계와 이야기 요소들이 적지 않다. 영화 제목 자체는 "귀여워"이지만 영화의 흐름은 귀엽다기보다는 엽기적이다. 영화를 보면서도 등장인물이나 주제가 귀엽다는 느낌은 전혀 들지 않는다.

영화 주인공들의 구성도 독특하다. 박수무당으로 등장하는 아버지 장수로와 아들 3명이 등장한다. 장남은 오토바이 퀵 서비스맨인 후까시 963, 차남은 렉카 기사 개코, 막내는 철거 깡패 건달 뭐시기 이다. 이들은 서로 배다른 형제다. 형과 동생의 순서는 출생년도가 아니라 장수로 집에 들어온 순서로 정해졌다. 이 영화는 장유유서나 가족의 가치와 같은 봉건 질서를 무시한다. 현실과는 완전히 다른 접근으로 가족을 해석하는 영화다.

아버지와 아들 3명 등 4명으로 이루어진 남자 가족 구성원들은 또 다른 가족이 된 여자 주인공에 대해 동시에 연정의 마음을 갖는다. 이 같은 설정은 1995년 브래드 피트가 주연한 영화 "가을의 전설"과 비슷하다. 이 영화는 세 형제가 한 여자를 사랑하는 이야기다. 그러나 영화 "귀여워"는 한발 더 나아가 아버지와 세 형제가 한 여자를 좋아하는 파격적인 이야기가 전개된다. 전통적이고 보수적인 시각에서 본다면 적지 않게 불편한 영화다.

등장인물들의 직업도 비범하다. 아버지는 남자 무속인으로 박수무당이다. 무속인은 한국의 가장 오래된 직업 중의 하나다. 무속인을 방송이나 드라마 콘텐츠의 핵심 캐릭터로 활용한 작품들이 적지 않다. 가령, 오락 프로그램에서는 강호동이 사회를 보았던 "무릎팍 도사"에서부터 서장훈이 진행하는 "무엇이든 물어보살"이 대표적이다. 영화에서는 "곡성"을 포함해 "박수건달", 드라마에서는 "태백산맥" 등 무속인이 등장하는 콘텐츠는 수가 적지 않다. 영화 "귀여워"에서도 가장으로 등장하는 장수로는 박수무당으로 사기를 치며 하루하루 살아가는 영세민으로 등장한다.

장남 후까시 직업은 퀵 서비스맨이다. 오토바이를 타고 물건을 배달하던 퀵 서비스맨은 2000년대 초반의 비정규직을 상징하는 직업 중의 하나다. 오토바이가 대중화되고 이동전화가 활성화되면서 오토바이 퀵 서비스가 물건 배송의 대부분을 차지하기 시작하던 시점이었다. 퀵 서비스맨 직업은 오토바이 영화와도 연결된다. 조범구 감독의 영화 "퀵"이 대표적이다.

차남의 직업은 렉카 기사, 셋째 직업은 재개발 철거 용역 깡패다. 특히 셋째 아들은 직접 재개발 용역을 담당하던 깡패로 등장한다. 이들 삼형제 모두 흔하게 보던 캐릭터들은 아니다. 직업조차도 주위에서 흔하게 보기는 어려운 직업들이다. 게다가 셋째는 재개발 철거를 전문으로 깡패들의 조직원이다.

게다가 이들을 부르는 이름들도 허접하다. 현실에서 그런 이름을 쓰지는 않을 것이다. 후까시라는 말만 해도 일제강점기 때 만들어졌던 오래된 말이다. 최근에는 후까시라는 말의 이용 자체가 거의 없다. 영화가 만들어진지 오래되지도 않았는데 주인공 캐릭터들의 이름 자체는 철 지난 느낌이 강하게 든다. 이들 캐릭터들 모두 사회의 주변부 인물들을 상징하는 느낌이다.

영화 "귀여워"의 공간은 서울의 구도심 재건축 공간을 중심으로 이루어졌다. 구체적으로 이 영화는 황학동 삼일아파트 재건축 현장, 청계고가도로, 그리고 뻥튀기를 팔던 도로 등을 중심으로 영화의 내러티브를 이끌어간다. 이 영화가 재건축이나 재개발이 이야기들을 포함하고 있는 만큼 핵심 촬영지는 황학동 재건축 지역이다. 황학동은 오래된 삼일아파트와 만물시장이 인접해 있던 곳이다.

실제 영화 속에서도 당시에 진행되고 있었던 황학동 철거 현장이나 아파트가 그대로 등장한다. 마침 삼일아파트 재건축 사업이 진행되면서 영화 제작진들이 과감하게 이 공간을 잘 활용했던 것으로 보인다. 영화 엔딩 부분의 청계고가도로 장면에서 장남인 후까시가 오토바이를 타고 질주하던 장면 역시 이제는 철거된 청계고가도로의 야경을 가감 없이 보여준다. 영화 "귀여워"에서 나타난 주요 공간들 특성을 살펴보면 다음과 같다.

<표 1> 영화 "귀여워" 주요 공간 구성

공간	등장인물	이야기	특성
재개발 현장 (월계동/황학동)	뭐시기	월계동 재개발 현장에서 용역 깡패로 활동	실제 황학동 재개발 현장임
	뭐시기	황학동 재개발 미이전 가구 철거 업무 담당	
	뭐시기	악동 2명과 갈등, 이후 재개발 아파트 방화 및 강제 철거 추진	
	수로/후까시/개코/순이/뭐시기/조폭 깡패	가짜 결혼식 시도	
아파트	수로	박수무당으로 사기행위 등 비정상적 행위 많음	실제 황학동 삼일아파트 주위임
	수로/후까시/개코	김치 담그는 장면	
	수로/후까시/개코/순이/뭐시기	같은 집에서 공존하며 갈등 관계 지속됨	
	순이/병아리	아파트 붕괴 장면	
아파트 옥상	수로	하늘과 소통하려는 노력	실제 황학동 삼일아파트 옥상임
	후까시/순이	후까시가 순이에게 오토바이 헬멧 선물	
	순이	옥상에서 서울 도심 야경과 폭죽 장면 감상	
도로	후까시	서울 도심 도로	서울 도심 및 강변도로 장면을 활용함
	순이/박카스 여인/개코	강변도로	
	후까시/순이	오토바이 타는 장면	

공간	등장인물	이야기	특성
렉카차	순이/개코	개코가 순이를 픽업해서 아파트로 데려가는 장면	차 내부 중심
남산케이블카	수로/순이	수로가 순이에게 청혼하는 장면	실제 남산케이블카 탑승 장면임
청계고가도로	후까시	밤에 오토바이 질주하는 장면	실제 청계고가도로 오토바이 주행 장면임

(1) 청계고가도로

영화 "귀여워" 끝 부분에 장남 후까시가 청계고가도로에서 오토바이를 타는 장면은 꽤나 매력적이다. 돈이 없어 좋은 오토바이를 사지는 못했지만 훔친 오토바이를 타고 이곳저곳을 떠돌다가 마침내 서울 도심 청계고가도로를 질주하는 장면이 등장한다. 후까시는 순이의 첫사랑이었지만 그녀와의 사랑은 이어지지 못했다. 그는 오토바이 뒷좌석에 순이 대신에 다른 여인을 태우고 네온사인으로 가득한 도심 한 복판에서 청계고가도로를 빠르게 달린다. 엔딩 부분 오토바이 질주 장면은 특수효과와 촬영을 통해 몽환적 영상으로 표현되고 있다.

장남 후까시의 삶은 늘 오토바이와 함께 했다. 순이를 만나기 전에는 오토바이로 퀵 서비스를 제공하며 하루하루 살아왔다. 오토바이를 타며

도시에서 해방감을 느끼던 그는 순이를 만난 이후 완전히 달라진다. 그의 오토바이는 그녀를 뒤에 태우고 함께 달리고 싶은 욕망의 상징으로 바뀐다. 영화 초반부에는 후까시가 순이를 오토바이에 태우고 달리다 오토바이가 고장 나는 장면이 등장한다. 마치 둘의 만남이 지속되지 못할 것이라는 느낌이 드는 장면이다. 한밤 중 조명이 쏟아져 내리는 청계고가도로에서 후까시는 순이를 잊고 다른 여자와 함께 청계고가도로를 질주한다. 청계고가도로는 지금은 철거된 상태로 영화에서는 그 시간이 여전히 남아 있다.

영화 "귀여워"와 "오아시스"를 제외하면 우리나라 그 어떤 영화들도 청계고가도로가 영화의 핵심 공간으로 등장한 적은 없었다. 1970년대에 건설된 청계고가도로는 세운상가, 삼일빌딩과 함께 서울을 대표하는 건축물 중의 하나였다. 그 만큼 상징성이 있고 낭만적인 이야기들이 담겨 있었다. 그러나 서울의 교통이 그러하듯이 도로 교통을 막고 이곳에서 영화를 촬영하는 것은 불가능에 가까웠을 것이다. 2002년 4월 이창동 감독의 영화 "오아시스" 역시 처음에는 청계고가도로에서의 촬영을 시도했지만 교통 문제 때문에 촬영이 좌절되기도 했다. 이후에 관계 기관들의 협조를 다시 얻어서 새벽 시간대에 영화 촬영이 이루어졌다.

청계고가도로와 같이 도심 한 복판에 있는 도로에서 차량 흐름을 멈추고 영화를 촬영하는 것은 쉬운 일이 아니다. 교통 혼잡이 극에 달할 수 있기 때문이다. 영화 "오아시스"에서 청계고가도로에서 영화 촬영이 가능했던 이유는 세계적 명성을 얻고 있었던 이창동 감독이 연출하는 영화로 관계 기관의 협조를 그나마 받을 수 있었기 때문이었을 것이다. 당시에 미국의 뉴욕이나 국내 부산 역시 촬영지로 인지도가 높아가는 시점에서 서울 역시 일상 공간을 영화에 개방해 인지도와 이미지를 올리고자 하는 분위기가 반영된 것임에 분명해 보인다.

영화 "귀여워"가 핵심 촬영지로 청계고가도로를 선택한 이유는 영화 속 재개발의 공간이 청계천 주위였기 때문이다. 서울 도심 공간으로 청계천 일대와 청계고가도로 그리고 동대문시장 방면 등이 이 영화의 핵심 공간이었다. 영화에서는 박수무당 첫째 아들인 후까시가 오토바이를 타고 배달 일을 하다 그의 로망인 청계고가도로를 질주하는 장면이 등장한다. 배달 노동자로 일을 하다가 평소에 타고 싶어 했던 야마하 맥스 시리즈 오토바이를 타고 야간에 청계고가도로를 달리는 장면은 특수효과를 통해 더 강렬하게 다가왔다.

1997년 영화 "비트"에서 정우성이 오토바이를 타는 장면이 아직까지 팬들의 마음에 남아 있듯이 영화 "귀여워"에서 청계고가도로 오토바이 주행 장면은 영화 "귀여워"에서 가장 멋진 장면이다. 그 어떤 영화도 이 같은 장면을 다시 만들 수는 없을 것이다. 이미 도심 한 복판에서 근대의 상징이었던 청계고가도로가 철거되었기 때문이다. 영화 "오아시스"가 청계고가도로에서 첫 촬영된 영화였다면 영화 "귀여워"는 마지막으로 촬영된 영화였다.

청계고가도로는 청계천 복원 계획에 따라 2003년에 철거되었다. 한국 경제의 성장과 도시 근대화의 상징이었던 청계고가도로가 해체된 것이다. 하나하나 철거되는 서울 내 고가도로의 모습에서 서울의 공간은 어느덧 근대에서 현대로 시점을 바꾸었다. 이 영화를 볼 때마다 청계고가도로의 모습은 환상적이고 몽환적으로 다가온다.

(2) 황학동 삼일아파트

영화 "귀여워"에서 가장 상징적인 공간은 황학동 삼일아파트 재개발 철거 현장이다. 황학동 삼일아파트가 재개발 사업으로 철거되고 이 지역에 새로운 아파트를 건설하기 위해 일대가 공사판이었던 곳이다. 그 공간은 인위적으로 만들 수 없는 도시 공간 그대로의 기억이었다. 마침 재개발로 일대가 철거되기 시작한 시점이었다. 황학동은 서울 도심 한 복판에 위치해 있는 곳이었지만 그곳 삼일아파트 건물은 하나 둘씩 철거되고 몇 동 안 남은 아파트들이 마치 홍콩의 오래된 거리에 있는 아파트처럼 특이한 느낌을 갖게 한 곳이다.

영화 "귀여워"에서는 서울 동대문 근처 야경의 모습을 배경으로 황학동 철거촌이 핵심 촬영 공간이었다. 철거촌 아파트는 황학동 삼일아파트였다. 영화 "귀여워"는 극 영화였지만 황학동 삼일아파트 철거 현장은 마치 다큐멘터리 영화와 같이 주위의 아파트 건물이나 황량한 재개발 모습을 잘 담고 있다. 영화에서도 황학 구역 재개발이라는 글씨가 보이고 시행업체인 건설사 이름도 담겨져 있다. 지금은 모두 재개발이 완료되어 현대적인 아파트 단지로 바뀌었지만 이 시기만 하더라도 재개발 과정 중 폐허와 같은 동대문 일대가 그대로 영화 속 장면들로 포함되어 있다. 게다가 영화 사이사이에 청계천 복원 공사 이전의 모습들도 드러난다.

당시, 황학동 삼일아파트에 거주하던 사람들 중에 적지 않은 사람들이 황학동 시장에서 영세 상인들로 살아가던 이들이 많았다고 한다. 황학동 시장은 청계7가와 8가 사이에 위치해 있던 곳으로 벼룩시장 또는 만물

시장이라는 이름으로 불리던 곳이었다. 없는 게 없고 각종 오래된 물건들이 중고 거래되던 시장이었다. 만물상이라 부르던 이곳 황학동 시장은 바로 인근 삼일아파트와 함께 60년대와 70년대 분위기를 자아내는 도시 공간으로 최적의 공간이었다.

영화에서 황학동이 차지하는 비중은 적지 않다. 황학동 특히 삼일아파트 주위는 근대화 시대에 건축되어 재개발이 아니면 더 이상 살기 어려운 황폐함과 사이 골목길 등 매력적인 분위기가 있었다. 오래된 건축물이 역사의 시간을 유지하면서 그대로 남아 있어도 좋을 텐데 황학동 삼일아파트를 보면 그것이 쉬운 일이 아니라는 것을 깨닫게 된다.

황학동이 영화 촬영지로 적합했던 이유 중의 하나는 영화 속 용역 깡패 역할을 하던 셋째의 성격과 잘 부합되기 때문이었다. 셋째 아들인 뭐시기는 평소 아파트 재개발 현장을 다니며 용역 깡패 역할을 하던 인물이다. 그는 평소에 범죄를 저지르고 뉘우치지도 않는 깡패로 다시 황학동 재개발 현장으로 들어온다. 황학동에서 와서 친부를 만나지만 그럼에도 몇 가구 남지 않은 삼일아파트 철거 업무를 맡게 되었다. 철거 업무는 조폭들의 사업이기 때문이었다. 셋째 아들인 뭐시기는 재건축 용역 깡패로 황학동 재개발 지구를 어슬렁거리고 이런 저런 갈등과 문제를 만드는 골칫거리 캐릭터로 등장한다.

황학동 그리고 삼일아파트의 또 다른 공간적 매력은 세 아들의 아버지이자 한 여자를 사랑하게 된 수로와 밀접하게 엮여져 있다는 점이다. 수로는 가족 구성원들에 대한 일말의 애정이나 관심도 없는 가장이다. 그는 배다른 아들 3명과 한 여자인 순이를 놓고 경쟁하는 기이한 행동을 벌이게 된다. 박수무당으로 사람들 사기를 치면서 먹고 살았던 수로는 가족이나 결혼, 사랑에 대한 전통적인 개념을 완전히 해체하는 독특한 캐릭터이다.

그러나 영화 속에서 주인공 수로는 무너져가는 황학동 삼일아파트와 같은 운명 공동체가 된다. 삼일아파트 옥상에서 기이한 행동을 하며 하늘과 접선을 시도하지만 갑자기 그는 사라지고 이후 황학동 삼일아파트도 서서히 해체되기 시작한다. 이 시점부터 그의 존재와 황학동의 공간은 같은 의미를 공유한다고 볼 수 있다. 재개발 공사 현장에서 살던 수로는 자신만을 위한 욕망에 사로잡혀 늘 잘못된 판단을 하고 노력하지도 않는다. 그의 운명은 그가 살던 황학동의 재개발 철거 과정과 같다.

영화 평론가 허지웅 역시 비슷한 의견을 나타냈다. 그에 따르면, 영화 "귀여워"는 장수로와 아파트가 같은 운명체로 사라져가는 가부장적 권력과 사라져가는 아파트가 서로 연결되어 있다[1]는 것이다. 영화 "귀여워"는 도시 주변부에 살고 있는 가족 아닌 가족 구성원 5인의 기이한 그러나 돌발적인 관계를 다루면서 기존의 가족에 대한 개념을 전복시킨다. 그러나 자신의 가족 구성원들을 돌보지 않고 개인 욕망으로 가득 차 있던 가장이 사라지면서 영화는 마무리된다. 게다가 그 시점이 그가 살던 황학동이 재개발로 무너지던 시점이었다.

영화 속 철거를 앞둔 황학동 철거촌은 사라진 청계고가도로와 함께 우리가 겪었던 근대화의 시간들이 잘 담겨져 있었던 공간이다. 지금은 황학동 삼일아파트와 청계고가도로는 청계천 복원 사업과 함께 사라졌다. 그러나 당시의 황학동이나 청계고가도로의 모습은 영화 속에 그대로 담겨져 있다. 영화가 허구의 캐릭터와 이야기로 구성된 콘텐츠임에도 일

---

1) https://entertain.naver.com/read?oid=047&aid=0000053912

부 영화들에는 이미 지나 버린 시절의 모습들이 하나 둘 담겨져 있다. 마치 시간을 기록한 사진이나 다큐멘터리 영화와 같다.

(3) 뻥튀기를 파는 도로

영화 "귀여워"의 여자 주인공은 순이다. 순이는 도로 한 복판에서 불법으로 뻥튀기를 팔던 사람이었다. 순이는 길거리에서 박카스 여인과 다툰 후에 도로 근처에서 쉬다가 렉카차를 몰던 개코를 만난다. 둘째 아들 개코가 길거리에 순이를 픽업해 황학동 집으로 데려간다. 그리고 아버지 수로, 세 아들과 순이가 허물어져가는 아파트에서 같이 살아가는 이야기가 펼쳐진다. 이야기 구성이 허무맹랑하고 기이하다.

그럼에도 순진 난만한 순이가 이 세상을 살아갈 수 있는 힘은 주위 사람들과의 관계에 가식이 없고 진심을 감추지 않는다는 점이다. 강변도로 위에서 뻥튀기를 팔던 순이는 황학동으로 와서는 뻥튀기 기계로 직접 뻥튀기를 만든다. 뻥이야 소리에 뻥튀기가 만들어지고 그녀는 그곳에 있는 여러 사람들과 뻥튀기를 나눈다. 자신이 좋아하는 것을 소유하기 보다는 욕망이 없이 나누는 영화 속 유일한 등장인물이다.

그녀는 영화에서 "모든 남자들이 나를 좋아했으면 좋겠어"라는 말을 두 번이나 반복한다. 그런 순이의 특성 때문에 가장이었던 수로와 다른 세 아들과도 친밀한 관계를 유지했었을 것이다. 그러나 그녀가 만난 황학동 4명의 남자들과는 모두 헤어진 후 그곳에서 만난 이웃집 여자 아이 병아리와 함께 도로에서 다시 뻥튀기를 파는 장면으로 영화는 마무리된다. 뻥튀기를 만들고 팔던 순이의 잠깐의 외출이 마치 판타지처럼 지나가는 영화다.

차가 쉴 새 없이 오가는 길거리에서 뻥튀기를 파는 일은 실제로 흔하게 보았던 일이지만 영화 속 길거리 뻥튀기 판매 설정은 특이하다. 뻥튀기라는 국민 간식이 대중화된 시점이 대체로 1960년대와 1970년대라는 것을 감안해 보면, 뻥튀기 장면은 오래 전 서울의 모습을 그린 추억의 시간이기도 하다.

그리고 주인공 순이가 영화 초반부에 길거리에서 뻥튀기를 팔고 이후 황학동에서 뻥튀기를 만드는 모습, 엔딩 장면에서는 이웃집 병아리와 함께 다시 길거리로 나가 뻥튀기를 파는 모습 등 뻥튀기는 영화 전체적으로 순이의 캐릭터를 영상화하기 위한 중요한 장치로 활용된다. 그리고 순이가 뻥튀기를 팔던 공간은 강변도로 또는 청계고가도로 인근으로 2000년대 초반 서울 도심의 모습이 등장한다.

2) 욕망의 가상도시: 짝패

2006년 개봉된 영화 "짝패"는 남자 친구들의 우정 그리고 배신을 다룬 영화다. 이 영화는 전형적으로 범죄 영화의 내러티브를 따른다. 이 영화에서 다루는 우정이나 배신은 쉽게 흔들리는 나약함을 드러낸다. 우정이나 배신은 누구에게나 일어날 수 있다. 조폭 집단에서의 우정이나 결속력 역시 깨지기 쉽지 않을 것만 같지만 인간의 욕망은 그 고리를 언제든지 깨뜨릴 수 있다. 사람들 사이에 엮여진 감정 고리가 빠지지 않는다면 우정은 유지되지만 그 사이 조그만 균열이라도 생기면 우정은 언제든 배신으로 바뀔 수 있다.

한국에서 조폭 영화 또는 갱스터 무비가 갖는 역사는 짧지 않다. 이미 영화 "야인시대"와 같이 정치 조폭이 정치적 후광을 통해 등장한 경우도 있고 최근에는 "파친코"나 도박, 마약, 부동산업 등 조폭들이 사업자로 전면에 나서는 방식을 다룬 영화들이나 드라마가 수를 헤아릴 수 없이 많다. 영화 속 조폭들은 단기간에 돈이 될 만한 사업이 있다면 불법이든 합법이든 가리지 않는다. 조폭들은 욕망의 시장에 편입하게 된다. 수익을 얻거나 배분하는 과정에서 끊임없는 배신과 경쟁은 흔한 일이다. 선한 자와 악한 자의 구분은 없다. 모두가 욕망을 향해 달려가기 때문이다.

5명의 친구들이 등장하는 영화 "짝패"와 분위기가 가장 유사했던 영화는 2001년 "친구"다. 등장인물인 친구들의 숫자가 같지는 않지만 얼추 두 영화는 구조가 비슷하다. 영화 "친구"는 4명의 친구들이 등장한다. 여기서도 친구로 시작했지만 이후에 관계는 좋지 못했다. 친구 간의 관계는 시간이 흘러가면 갈수록 더 약해지는 모습이 나타난다. 어린 시절의 친구들과 성인이 된 친구들 간의 관계는 바뀔 수 있어도 주인공들의 성격이나 행동은 달라지지 않는다. 영화 "친구"와 "짝패"가 다른 중요한 요인 중의 하나는 지역적 맥락이다. 영화 "짝패"가 충청도 사투리를 중심으로 충청도 조폭 영화에 가깝다면 친구는 부산 사투리를 중심으로 부산 조폭 영화다. 도시 무협의 방향성이 다른 두 작품이다.

영화 "짝패"는 온성이라는 가상 도시가 핵심 공간이다. 서울에서의 일부 장면을 제외하면 모든 장면들이 가상도시 온성을 중심으로 촬영되었다. 다만, 어린 시절의 친구들과 성인이 된 친구들을 화면으로 비교하는 방식은 온성이라는 공간에 서로 다른 시간들을 연결한 것이다. 시간을 비교해 가면서 친구들 간의 관계 변화를 다룬 셈이다.

이 영화에서 등장하는 온성의 명동, 다운타운에서 일어나는 액션 장면도 볼만하다. 실제로는 청주 다운타운에서 촬영된 것이다. 두 명의 친구가 수십 명에 달하는 학생들과 액션을 겨루는 장면은 다른 영화에서는 쉽게 보기 어려운 현란한 액션들이다.

이 영화의 하이라이트는 일본식 술집 운당정이다. 마치 영화 "킬빌"의 무대와 같은 느낌을 갖게 하는 세트로 구성된 공간이다. 원형으로 만들어져 로마 원형 경기장인 콜로세움의 이미지도 강하다. 원형 경기장에 갇혀 최종 싸움판이 벌어지는 장면이 등장한다. 운당정은 일본식 술집으로 그 동안 보아왔던 한국식 술집과도 다른 내부 구조를 갖고 있다. 이국적인 세트에서 촬영된 최고난도 액션들이 가감 없이 쉴 새 없이 등장한다. 영화 "짝패"의 가장 극적인 장면 자체가 운당정 장면이다. 영화 "짝패"에서 나타난 주요 공간별 특성을 살펴보면 다음과 같다.

(1) 가상도시 온성

영화 "짝패"에서 나타난 도시는 지방 소도시다. 서울이 아니라 지방 소도시를 선택한 이유는 류승완 감독이 성장해왔던 시공간이 바로 온양이기 때문에 자신의 경험을 바탕으로 한 것으로 보인다. 영화에서는 온양이라는 현실 도시가 온성이라는 가상 도시로 바뀌었다. 온양이라는 작은 도시를 영화의 핵심 공간으로 설정하면서 이 같은 도시 자체가 서서히 황폐화되는 것은 결국 돈에 대한 욕망 때문이라는 식으로 접근한다. 수익을 따르는 정치권력과 조폭, 지역 토호들이 손을 잡으면서 부정부패가 생겨난다는 것이다.

늘 익숙한 서울이라는 도시는 영화적 상상력에 얽매여 늘 재생과 파괴가 동시에 이루어지는 공간이다. 반면에 작은 소도시는 우리가 생각하지 못했던 비일상적 도시 공간이다. 그래서 굳이 가상도시라 이름을 정하지 않더라도 대부분의 사람들은 지방 소도시에 대한 인식이나 이해조차도 어렵다. 그런 빈틈을 노려 지방 소도시에 벌어지는 우정과 배신을 노래한 이중주 작품이 영화 "짝패"다. 대부분의 상업 영화들이 서울이나 부산 등 대도시의 공간을 활용하는 것에 비해 영화 "짝패"는 인지도가 높지 않은 지역 소도시를 선택했다.

온성이라는 도시는 가상의 도시다. 현실에 있는 도시가 아니다. 그럼에도 영화에서 활용하는 모든 구성들은 현실 도시와 같다. 특정 도시를 지정하지 않고 가상의 소도시로 바꾸는 과정에서 관객들에게 호기심과 상상력을 불러일으킬 수 있는 지점이다. 온성이라는 도시가 우리가 생활하는 현재의 도시를 의미하는 것인지, 우리 도시와 얼마나 비슷한 것인지 이 영화는 관객들에게 질문하고 생각하게 한다. 그래서 영화 "짝패"가 온성이라는 지방 소도시를 설정한 것은 좋은 선택이다.

가상도시 온성이지만 공간 정체성은 충청도다. 영화 등장인물들의 사투리는 모두 충청도 사투리다. 영화 "짝패"는 충청도 느와르 영화라고도 부르기도 하는데 그 동안 흔히 볼 수 없었던 시도다. 류승완 감독의 고향이나 살아왔던 여정을 반영해 만든 영화이기 때문일 것이다. 온성이라는 가상도시는 청주와 온양이 부분적으로 뒤섞여 있다. 그리고 어린 시절 친구들이었던 영화 주인공들이 성인이 돼서 다시 온성에 모여든 이유는 온성이 관광 특구로 지정된 일 때문이다. 영화 속에서 주인공들이 등장하는 일상 공간은 대부분 청주다. 영화에서는 구체적인 장소를 인지하기 쉽지 않다. 감독의 의도대로 충청도 특정 지역, 다시 말해 온성으로 재구성된 공간이기 때문이다.

온성이 관광특구로 지정되면서 이야기는 일사천리로 진행된다. 관광특구는 관광을 위한 지역 지정으로 관광객 유치 확대를 위한 목적을 갖고 있다. 실제로도 전국적으로 이미 수십 개의 관광특구들이 지정되어 있다. 현실에서도 1997년 충남 아산시 음봉면 주위가 관광특구로 지정되었다. 이 지역은 영화와 마찬가지로 온천 지구로 지정된 곳이다. 온양온천을 비롯해 도고온천과 아산온천 등이 포함된 곳이다. 시점을 감안해 봐도 "짝패"는 류승완 감독이 관광특구로 지정된 온양 온천 지구를 보고 영화 이야기에 이 소재를 반영한 것으로 보인다.

영화 속 관광특구 지정에 따른 개발 영향은 어느 정도 과장된 측면이 있다. 영화에서와 같이 특정 지역을 관광특구로 지정하는 것이 부동산 개발을 촉진하거나 바꿀 수 있는 결정적인 요인은 아니기 때문이다. 오히려 아산시 지역 온천 지구는 온천 이용 인구 급감에 따라 사업자들이 폐업하거나 휴업이 잇따른 것으로 알려진다.[2] 현실과 다르게 영화에서는 온천 관광특구로 인해 지역 소도시의 개발 붐이 일 것으로 가정한 것이다.

영화 "짝패"에서와 같이 지역 내 관광특구 지정이 도시 전체의 부를 확대하기 보다는 부분적으로 지역 내 카지노 사업권이나 건물 신축 정도를 가능하게 했다는 점은 가능성이 높다. 다시 말해, 관광특구 지정이 약간 정도 도시 개발과 재개발을 자극하는 수준이었다는 것은 개연성이 있다. 영화 "짝패" 이야기가 관광특구와 지역개발을 연계했다는 점에서 개연성이 높지는 않아 보였지만 그럼에도 이 연결 고리를 바탕으로 영화의 이야기를 끌고 갔다는 점은 무리가 없어 보인다.

(2) 온성의 명동, 다운타운

영화 "짝패"에서는 온성의 명동이 등장한다. 이 다운타운 촬영지는 실제로는 청주 성안길이다. 충청북도청 인근으로 청주에서 가장 번화가 길이다. 청주에서 가장 오래된 시장인 청주 육거리종합시장과도 서로 연결된다. 역사가 오래된 문화의 거리이다. 일제 강점기 시대에는 본정통으로 불렀다. 본정통은 도심 핵심지를 의미한다. 영화 "짝패"에서도 성안길을 본정통으로 부르는 대사가 나온다. 일제강점기는 이미 오래 전 끝났지만 일부 당시의 지명이나 말은 그대로 남아 있다.

---

2) 중앙일보, 2023년 1월 3일자 기사 참조

<표 2> 영화 "짝패" 본정통 주요 액션 장면 구성

순서	공간	내용	시간
1	본정통(청주) 시내 입구	본정통 시내에 가로등 불빛이 하나둘 켜지는 장면	4초
2	본정통(청주) 시내 골목	10대 힙합 양아치들이 등장, 태수와의 액션	1분 26초
3	본정통(청주) 시내 골목	10대 자전거 타는 양아치들이 등장, 태수와의 액션 지속	12초
4	본정통(청주) 시내 골목	10대 아이스하키 스틱, 쇠파이프(여학생), 야구 배트를 든 양아치들과 태수와의 액션 태수는 소화기를 뿌리거나 자동차 위로 이동하는 모습	2분 47초
5	본정통(청주) 시내 대로	류승완 합류 주인공 2인과 모든 양아치들 간의 액션 바리케이드와 비계 장면 전등 및 불빛 장면	1분 11초

영화에서는 마치 서울 명동 거리와도 비슷하지만 실제로 다운타운 거리는 청주의 명동으로 부르는 곳이다. 영화 "짝패"에서는 온성이라는 가상도시를 가정하고 있지만 실제로는 온양이 배경이다. 그런데 길거리 액션 활극은 청주 성안길에서 집중적으로 이루어진다. 영화 "베테랑"에서도 황정민과 유아인이 액션 장면을 촬영하던 공간이 청주 성안길이다. 류승완 감독이 서울이 아닌 청주 도심지를 중심으로 서울 중심지와 같이 비슷하게 공간을 구성한 것이다.

성안길 격투 장면은 길거리 활극으로서 "짝패"의 매력을 높인 부분이다. 류승완과 무술감독 출신 정두홍은 10대 불량 깡패 학생들 100여명 이상과 길거리에서 서로 맞장을 뜨게 된다. 학생들은 힙합이나 야구 방망이, 심지어는 자전거로 액션 장면을 소화한다. 이들이 춤추는 액션 장면은 독특하다. 이들과의 결투는 성안길 도심 야경을 배경으로 마무리된다. 이 격투 장면은 다른 영화에서는 살펴볼 수 없는 독특함과 발랄함이 있다. 불량 고등학생들 백 명 이상이 떼로 몰려오고 류승완과 정두홍 두 명의 주인공들이 여기에 맞서지만 잔인함이나 거칠다는 느낌보다는 흥미롭고 즐거운 페스티벌을 보는 느낌이다.

영화 "짝패"에서 본정통 액션 장면은 크게 5개로 구성된다. 첫 장면은 청주 중심지를 의미하는 본정통 시내에 가로등 불빛이 하나 둘 켜지는 장면으로 잠깐 거리를 비추는 모습이 등장한다. 다음으로 본정통 시내 골목에서 10대 힙합 양아치들이 등장하고 이들이 태수와 겨루는 장면이 1분 26초 동안 이어진다. 계속해서 10대 자전거를 타는 양아치들이 속속 등장하고 태수는 혼자서 이들을 상대한다. 4번째 장면이 본격적으로 본정통 시내 골목에서 10대 아이스하키 스틱과 쇠파이프, 야구 방망이를 든 양아치들이 몰려온다. 그리고 태수는 이들과 겨루다가 소화기를 뿌리거나 자동차 위로 이동하는 모습들이 나타난다. 5번째 장면은 본격적으로 류승완이 합류해 2명의 짝패 주인공들이 모든 양아치들과 다투는 현란한 장면들이 이어진다.

영화 "짝패"에서 가장 중요한 액션 장면은 본정통 길거리 액션과 마지막 운당정 액션 장면이다. 본정통 액션이 실제 길거리에서 1대 100의 액션이 등장했던 반면에 운당적 액션 장면은 실내 세트에서 2대 100과 같은 짝패 구성이 차별점이다. 이 영화는 실제로 무술감독인 정두홍 감독이 주인공으로 출연하고 있고 감독을 맡고 있는 류승완 감독과의 어울림도 좋다. 그 어느 국내 영화에서도 이렇게 호쾌하고 즐겁고 그렇지만 진지하게 액션 장면을 기획, 구성했는지 의문이 들 정도로 완성도가 높은 작품으로 생각된다.

영화 “짝패” 본정통 길거리 액션 장면은 게임이나 만화를 보는 느낌이다. 현실적으로 그런 일은 없을 것이라는 판타지 영화 느낌이 들기 때문이다. 류승완 감독의 “베를린”도 유럽 도시인 베를린 시가지에서의 총격전을 비롯해 맨투맨 액션 장면이 적지 않았다. 그러나 이들 장면이 마치 할리우드 “본” 시리즈와 이미지가 겹치는 느낌이 있는 반면 영화 “짝패” 성안길 1대 100 격투 장면은 투박하지만 독창적이고 즐거운 느낌을 갖게 하는 액션 장면이다.

(3) 일본식 술집 운당정

이 영화의 하이라이트는 운당정에서 펼쳐지는 액션이다. 건물이나 공간 구성 자체가 독특하면서 매력이 있다. 운당정은 영화 “짝패”의 가장 중요한 공간이다. 짝패가 단신으로 적의 집합지 운당정에 진입하고 결투를 하는 장면들은 마치 게임과도 같다. 공간을 이동하면서 합과 결투가 이루어지고 있기 때문이다.

운당정은 운당여관을 모티브로 만든 조화성 미술감독의 작품이다. 그는 2008년 영화 “좋은 놈 나쁜 놈 이상한 놈”, 2014년 “역린”, 2016년 “밀정” 등의 작품으로 미술상을 여러 개 수상했다. 최근에도 여러 영화 작품에서 미술 감독으로 참여했다. 류승완 감독과는 “짝패” 이후 영화

"베테랑"에서도 같이 작업했다. 운당정 무대 세트는 매우 흥미롭고 신선한 구성이다.

원래 운당정이라는 이름은 종로구 운니동 한옥이었던 운당여관으로부터 차용한 것이다. 구름 속의 집이라는 의미다. 영화 "짝패" 운당정 장면에서 구름을 뜻하는 雲자가 계속 등장하는 이유와도 연관이 있을 것 같다. 운당정은 조선 시대에 만들어진 가옥으로 오랫동안 국악인과 바둑인들의 공간으로 활용되다가 재개발된 곳으로 지금은 오피스텔 건물이 들어섰다.

2002년 운당여관은 해체되어 남양주 종합촬영소로 이전되었다. 기존 운당여관의 목재들을 활용해 촬영 공간인 운당세트가 복원되었다. 그러나 영화진흥위원회가 부산으로 이동하면서 2019년 남양주 촬영소는 폐쇄되었다. 운당세트가 폐쇄되기 이전에 이 운당여관을 중심으로 영화 "광해" 등 여러 작품들이 촬영되었다. 영화 "짝패"는 남양주 종합촬영소 내에 취화선 세트와 운당 세트 모두를 활용한 것이다.

영화 "짝패" 운당정 액션 장면은 크게 7개로 구성된다. 첫째 장면은 운당정의 정문 및 정원이 등장한다. 장필호와 호이무사들이 이동하는 한편, 석환이가 전화 통화하는 장면이 나타난다. 앞으로 운당정에서 벌어질 한 판 승부를 엿볼 수 있는 긴장감이 흐르는 공간이다. 두 번째 장면은 운당정 정원 아래 부분이다. 여기서 짝패 2인이 죽도를 들고 운당정 정원에 진입한다. 그리고 정원에서 일을 하고 있던 칼을 든 조폭들과 겨루기 시작한다.

세 번째 장면은 운당정 정원 위와 수상다리 부근이다. 짝패 2인이 또 다른 운당정 정원으로 진입하고 수상다리에서 조폭들과 계속 싸우는 장면이 이어진다. 이에 네 번째 장면은 운당정 내부 방이다. 주인공들이 내부에 진입하게 되면 일본식 다다미방과 같은 공간들이 펼쳐진다. 여기서부터는 맨손이 아니라 칼싸움 액션이 소개된다. 다섯 번째 장면은 운당정 내부 원형 식당 1층과 2층의 두 개 공간이 등장한다. 중국식의 붉은 카펫 무대가 있다. 쌍칼 잡이와 2층에서 결투를 진행하는 한편 1층에서는 장필호가 서울 조폭 두목을 공격한다.

여섯 번째 장면은 가장 길고 중요한 부분이다. 운당정 내부 1층과 2층에서 벌어지는 최종 싸움이 벌어진다. 2층에서는 장필호의 호위무사 4인과 2:1 액션이 벌어지고 1층에서는 장필호 호위무사 2인과 1:1 액션이 현란하게 이어진다. 이 장면이 지속되는 시간은 8분을 넘어선다. 싸움의 다양성이 조합, 공간 구성 등이 모두 탁월하게 이루어져 있다. 최종 결투가 마무리 된 이후 일곱 번째 장면이 등장한다. 운당정 내부 식당 1층이다. 회상 장면이 오버랩 되고 결과적으로 짝패만 남게 된다.

영화 "짝패"의 운당정 액션 장면은 이 영화의 백미와도 같다. 고향인 지방 소도시에서 벌어진 관광특구와 개발 사업 관련, 어린 시절 친구들의 우정과 배신에 대한 영화다. 이 영화는 2인의 짝패 주인공이 결과적으로 조폭과 폭력 집단을 무너뜨리고 정의를 찾는다는 주제를 갖고 있다. 일련의 과정이 마무리되는 지점이 운당정이다. 마치 쿠엔틴 타란티노 감독의 "킬빌"에서 본 것 같은 원형 식당, 그리고 1층과 2층의 공간 구분을 통해 액션의 현란함이나 다양성이 배가된 느낌이다. 짝패 2인이 수백 명의 조폭들을 상대로 한다는 비현실적 액션 장면이 이어지지만 각 액션들은 나름대로의 규칙성을 갖고 합이 맞는 통쾌함이 있다.

운당정의 색채와 공간은 다문화적이다. 처음 장면에서는 전형적인 조선시대 한옥 스타일의 공간이 등장한다. 이후에 정원을 거쳐 운당정 방으로 들어가면 일본 사무라이 공간과 같이 여러 개의 다다미방들이 서로 연결되어 있어서 일본풍이 가득하다. 다음으로 운당정 1층과 2층으로 이루어진 팔각정 원형 식당은 마치 중화요리 식당과 비슷하다. 2개의 층으로 구성되어 있어서 계단이나 높이 등 공간감을 활용할 수 있다. 운당정 공간 자체는 한국식, 일본식, 중국식이 모두 합해진 다국적 또는 다문화 공간의 특성이 강하다.

영화 "짝패"에서는 운당정이라는 공간이 있었기 때문에 엔딩 부분 액션 장면이 완성될 수 있었다. 운당정 공간에 따라 마치 게임과 같이 한 단계 수준을 높여가면 액션이 이루어졌다. 공간 구분은 정원에서부터 수중계단을 넘어 또 다른 정원, 그리고 내부 진입 이후 다다미방, 복도를 지나 팔각정의 식당이 각각 1층과 2층으로 구분되었다.

<표 3> 영화 "짝패" 운당정 주요 액션 장면 구성

순서	공간	내용	시간
1	운당정 정문 및 정원	장필호와 4인의 호위무사 이동 장면 석환이와 전화통화 장면 한옥 스타일 건물 및 정원에서 일하는 수많은 사람들	1분 50초
2	운당정 정원 아래	짝패가 죽도를 들고 운당정 정원으로 진입 정원에서 일하는 칼 든 조폭들과 액션	2분
3	운당정 정원 위 /수상다리	또 다른 운당정 정원으로 진입, 운당정 정원 수상다리 등에서 조폭들과의 액션	2분 44초
4	운당정 내부 방	내부 진입, 일본식 다다미방 구조 맨손이 아닌 칼싸움 액션	2분 58초
5	운당정 내부 원형 식당 1층 및 2층	중국식 붉은 카펫 무대, 쌍칼잡이와 식당 2층 액션, 1층 장필호가 서울 조폭 두목 공격	3분 2초
6	운당정 내부 원형 식당 1층 및 2층	2층 장필호 4인 호위 무사와 액션 (2:1 액션) 1층 장필호 2인 호위 무사와 액션 (1:1 액션)	8분 24초
7	운당정 내부 원형 식당 1층	회상 장면 후 짝패만 남고 주인공 멘트	32초

3) 배신과 폭력의 도시: 비열한 거리

2006년 개봉된 유하 감독의 "비열한 거리"는 배신과 폭력, 그리고 욕망에 대한 근원적 성찰이 포함된 영화다. 이 영화에는 조폭이 등장하지만 가벼운 액션 영화와는 가깝지 않다. 오히려 조폭이 직업인 병두가 가족들과의 관계나 생활을 위해 이용당하고 배신당하는 드라마에 가깝다. 조폭 영화라고 하면 늘 생각나는 그런 권력을 위한 폭력이나 비뚤어진 욕망이 지배적인 영화가 아니다. 주인공 병두는 먹고 살기 위해 폭력 조직에 몸을 담고 있는 생활 조폭이다.

영화 "비열한 거리"는 유하 감독의 자전적 이야기와 마찬가지로 폭력과 욕망의 경계를 다룬 드라마다. 영화가 다루고 있는 비열함은 배신이 판을 치는 주변부 인간들의 자화상이다. 생활을 위해 자신의 배신과 타인의 배신이 그려진다. 이 영화에 등장하는 인물들을 윤리적 판단만으로 그들의 배신을 나쁘다고 논하기는 어렵다.

이 영화는 권력의 위계를 다룬 영화가 아니다. 권력을 갖고 있는 자가 그렇지 않은 자를 통제하는 단순한 개념만으로 영화를 끌고 가지는 않는다. 오히려 인간이 속해 있는 공동체 안에서 드러나는 경계선에 있는 심리적 요소들, 이에 따른 딜레마 그리고 여러 가지 인간관계들을 폭넓게 다룬 영화다.

이 영화 속에는 조폭 영화 특유의 의리나 끈끈함, 우정 등은 드러나지 않는다. 웨이터 출신의 병두는 주위 관계의 버거움과 무거움 때문에 조폭에 참여하게 된다. 이후 병두는 조폭 집단 넘버3의 자존심과 돈을 챙기지 못해 넘버2를 배신하게 된다. 넘버1인 황 회장 역시 병두를 소모성 도구로만 활용하고 이들 간 관계는 부실해진다. 넘버2의 자리를 지키기 위해 상필 역시 자신의 직계 부하인 병두와 싸움에 나선다. 가족 역시 병두에 대해 가장의 역할을 맡겼지만 그에게 도움이 되는 가족들은 없다. 초등학교 친구인 영화감독 지망생 민호는 자신의 성공을 위해 친구를 이용하게 되고 그를 몰락하게 만든다.

이 영화 제목을 그대로 살펴보면 "비열한 거리"이기보다는 "비열한 관계"에 더 가깝다. 그래서 "비열한 거리"의 주인공 병두는 여러 가지 인간관계들 속에서 혼란스럽고 고민이 많은 인물이다. 그에게 가장 중요하고 의미가 있는 인간관계는 가족이다. 두 번째 그의 관계는 조폭 또는 건달이라는 직업으로부터 시작된다. 세 번째 인간관계는 민호라는 초등학교 동창의 의도적 접근과 배신을 통해 펼쳐진다. 네 번째 인간관계는 초등학교 이성 친구인 현주와의 관계다. 병두가 이성의 감정을 느끼게 되는 관계다.

영화감독으로서의 유하가 갖고 있는 비열함이나 배신, 관계, 욕망의 생성이나 확장, 변화가 일어나는 공간은 거리이다. 거리야말로 공간적으로는 집도 아니고 일터도 아니다. 사람들 간의 관계가 오고가는 사회적 공간이면서 동시에 개인의 공간을 구획하는 경계 영역이다. 바로 이 지점에서 유하 감독이 "비열한 거리"라는 이름을 선택했던 것으로 보인다.

영화 "비열한 거리"에서 나타나는 조폭들은 다른 영화에서와는 다르다. 이들은 건달 세계에 자부심이 있다. 영화 초반에도 자존심을 버린 건달은 건달이 아니라 양아치라는 말을 하는 장면이 등장한다. 병두 친구 민호는 이런 병두의 자존심을 이용해 건달이 아니라 조폭 영화를 만들기 위해 친구를 인터뷰를 한다는 거짓말을 늘어놓는다.

유하 감독은 다수의 영화들을 연출했지만 그의 대표적인 영화들은 거리 3부작이다. 거리 3부작에는 "말죽거리 잔혹사"(2004), "비열한 거리"(2006), "강남 1970"(2014)이 포함된다. 이들 영화들은 모두 강남을 중심으로 그 안에서 활동하는 청춘들의 욕망과 갈등을 다루고 있다. 영화 "말죽거리 잔혹사"는 학교라는 공간을, "비열한 거리"는 조폭의 일상성과 연계된 공간을, "강남 1970"은 강남 부동산 공간이 핵심 공간이다. 영화 "비열한 거리"에서 나타난 주요 공간별 특성을 살펴보면 다음과 같다.

(1) 한강 공원

병두가 속해 있는 로타리파와 라이벌 삼거리파의 집단 난투극 장면이 한강 공원을 중심으로 벌어졌다. 실제로도 로타리파는 대구에, 삼거리파는 경북 조폭에 속하는 집단이 있었다고 한다. 영화 속 집단 난투극에는 대략 30여명의 인원들이 참여하고 있다. 집단적인 패싸움이 벌어진 것이다. 병두를 포함해 로타리파 대원들 10여명이 봉고차를 타고 이동 중에 삼거리파의 저지를 받고 액션에 들어간 곳이 한강 공원이다. 야구 배트와 쇠파이프 등으로 무장한 채 서로 집단 난투극에 참여했던 20-30명의 조폭들은 이후 후발대 영필이 팀이 추가로 참여하면서 칼싸움으로 확대된다.

한강 공원 액션 장면은 조폭 집단들이 가식 없이 치고받는 행위를 적나라하게 드러냈다. 기존의 조폭 영화들이 다루듯이 코믹하거나 또는 과장된 액션 장면이 아니라 실제로 폭력 집단들 간에 일어날 법한 결투 장면이 그려졌다. 특히 상철이 칼로 삼거리파 조직원을 찌르는 장면은 영화 전체적으로 중요한 의미를 갖게 된다.

한강 공원으로 이동하는 병두와 그의 조직원들은 대략 10여명, 그러나 병두 보스인 상철이 합류하는 시점은 한참이 지난 이후다. 같은 폭력 조직원인데 서로 다른 시점에 적과 난투극에 참여하는 것은 같은 조직 폭력 집단 내에서도 분열 가능성이 높다는 것을 의미한다. 게다가 정작 문제는 상철이 일으킨 반면에 이를 병두와 논의하지도 않고 따로 해결 방안을 모색한다. 병두와 상철의 갈등이 내재 단계에서 외적으로 표출되고 있다는 것을 다루고 있다.

한강 공원에서의 집단 난투극 장면은 꽤나 현실적이다. 실제로도 조폭 집단들 간에는 크고 작은 난투극이 일어난다. 이미 전주나 부산, 광주, 군산, 서울, 인천 등 주요 대도시를 중심으로 특정 지역에 제한되지 않고 도심이나 주택가 등에서도 조폭들 간에 집단 난투극이 벌어지고 있다. 조폭들 간에 집단 난투극이 벌어지는 이유로는 이권 다툼이나 복수, 예의, 자존심 등 다양한 이유들이 포함된다. 이 같은 현실을 감안해 본다면 영화 "비열한 거리"의 한강 공원 장면도 적어도 비현실적인 장면은 아닌 셈이다.

그럼에도 촬영의 편리함을 제외한다면 굳이 한강 공원에서 조폭 집단들의 패거리 싸움 공간이 준비되었는지에 대해 궁금함이 생긴다. 조폭들의 활동 무대가 대체로 대도시 공간인 것은 당연하다. 대도시는 돈과 사람이 넘쳐나고 이에 따라 유흥업이나 사행산업 등이 활성화된 곳이기 때문이다. 실제로도 최근 조폭들의 집단 난투극은 유동 인구가 많은 일상적인 공간에서 벌어진다. 한강 공원은 유동 인구가 거의 없고 그들만의 싸움이 벌어지기 때문에 액션 장면이 만드는 집중의 효과는 높지만 현실성은 낮아지는 느낌이다.

영화 "비열한 거리"에서는 조폭들 간의 난투극 장면이 한강 공원이라는 흔하지 않은 공간에서 벌어진다는 점, 그리고 대낮에 난투극이 벌어진다는 점은 특이하다. 한강과 한강 공원은 영화 제작자들에게는 매력적인 촬영지 중의 하나다. 일단 건물이 시야를 가리지 않는데다가 공간감이 넓고 크며 한강의 흐름이 영화적으로 잘 활용될 수 있기 때문이다. 그러나 한강을 조폭이나 액션 장르에 속하는 영화 핵심 촬영지로 활용하는 사례들은 많지 않은 것으로 보인다. 봉준호 감독의 영화 "괴물" 정도가 한강 공원을 무대로 제작된 대표적인 영화일 것이다.

(2) 서점

영화 "비열한 거리"에서는 서점이 등장한다. 영화에서 서점을 배경으로 액션이나 싸움이나 추격 장면들이 촬영된 적은 거의 없었을 것이다. 서점이라는 공간 자체가 정적인데다가 사람들 간 다툼을 주고받는 장면을 촬영하기도 쉽지 않았을 것이기 때문이다. 물론 주인공 병두와 연애를 시작하는 초등학교 이성 친구 현주의 일터가 서점이라는 사실을 감안해 본다면 서점 공간의 활용이 이상해 보이지는 않는다. 영화 "비열한 거리"에서는 대형 서점이 현주의 직장이다. 병두와 현주와의 새로운 인간관계가 확대되는 공간도 서점이다.

영화 "비열한 거리"에서 서점 내부 장면 구성을 살펴보면 크게 4개로 구분해 살펴볼 수 있다. 첫 번째 장면은 서점 내부에서 병두와 현주가 만나며 카페에서 음료수를 마시면서 대화하는 것이다. 다음 장면은 책을 찾는 병두와 이를 도와주는 현주, 그리고 현주를 좋아하는 유부남 직장 상사와의 시비 장면이 등장한다. 세 번째는 현주 유부남 직장 상사와 현주가 실랑이를 벌이고 이후 병두가 개입해 폭력을 행사하는 장면이 나타난다. 네 번째 서점 장면은 지하 1층 회전문 앞 그리고 서점 내부에서 형사들이 병두를 잡기 위해 들이닥치고 병두가 도망가는 추격전이 진행된다.

세 번째 장면은 서점 앞에서 병두가 현주를 기다리는 장면이라 서점 내부가 화면에 잡히지 않는다. 따라서 서점 내부를 촬영한 장면은 3개 정도다. 초등학교 친구인 병두와 현주는 초등학교 동창회에서 최근 처음 만난 이후 노래방에서 회식이 이어진다. 이후 병두가 현주가 일하고 있는 대형서점에 방문하면서 두 사람 간에 잔잔한 만남이 이루어진다. 다시 서점을 찾은 병두가 "파이팅"이라는 책을 찾아달라고 부탁하면서 서점에서 두 번째 만남이 이어진다. 그 과정에 현주를 좋아하는 회사 선배가 개입하는 장면이 등장하게 된다.

그리고 서점에서 액션이 격하게 이루어지는 장면은 네 번째 장면이다. 서점 앞에서 캐럴 음악이 흘러나오고 병두가 현주에게 선물을 건네는 순간 형사들이 현장에 들이닥친다. 병두는 서점 앞에서 형사들과 조우한 뒤에 서점 내부로 피해 들어가고 형사들은 그를 쫓는 추격전이 이루어진다. 서점은 지하 1층과 2층으로 구성되어 있다. 병두는 지하 1층에서 에스컬레이터를 타고 지하 2층으로 도망간다. 계속되는 형사들과의 격투 및 추격전을 뿌리치고 병두는 서점에서 도망가는 데 성공한다.

<표 4> 영화 "비열한 거리" 서점 내부 주요 장면 구성

순서	공간	이야기	주요 출연 인물
1	서점 내부	서점 내 병두와 현주와의 만남 및 내부 카페에서 음료수 마시며 대화	병두와 현주
2	서점 내부	책을 찾는 병두와 이를 도와주는 현주, 그리고 현주를 좋아하는 유부남 직장 상사의 개입	병두와 현주, 직장상사
3	서점 1층 앞	현주 유부남 직장 상사와 현주와의 실랑이, 이후 병두가 개입해 폭력	병두와 현주, 직장상사
4	서점 지하 1층 회전문 앞 및 내부	서점 지하 1층 회전문 앞 병두가 현주에게 선물, 동시에 형사들이 들이닥치고 형사들과 병두의 추격전이 실외와 서점 지하 1층 및 2층에서 진행됨	병두와 현주, 형사들

이 영화를 통해, 서점은 병두와 현주라는 초등학교 이성 친구들이 만남을 다시 시작하고 이어나가며 갈등하기도 하는 공간으로 활용된다. 다만, 4번째 장면은 가장 파격적인 화면이다. 병두가 현주에게 고백을 위해 선물을 준비하고 이를 서점 앞에서 전달하는 순간 형사들이 병두를 잡기 위해 들이닥친다. 병두는 이를 뿌리치고 저항하며 서점 안으로 들

어가고 형사들은 병두를 추격한다. 형사들은 총까지 쏘며 병두를 잡고 싶어 했지만 책으로 가득 찬 서점 내부에서 병두는 유유히 현장을 빠져나간다.

유하 감독이 영화 "비열한 거리"에서 서점을 주요 공간, 특히 부분적으로 멜로와 액션이 혼합되는 공간으로 설정한 것은 새로운 시도로 보인다. 이 같은 구성은 유하 감독이 그 이전에 시인으로서의 삶을 살아왔기 때문으로 보인다. 시인으로서의 유하는 인쇄 문화 자체에 관심이 많을 것 같다는 생각 때문이다.

그는 문학상 수상자이자 베스트셀러 시인이기도 했다. 시인 유하는 문학적으로 또는 대중적으로 여러 사람들의 관심을 많이 받던 작가였다. 그의 작품이 만들어지는 곳은 서재, 그의 작품이 유통되는 것은 서점이었을 것이다. 특히 그에게 자신의 시집이 대형 서점에서 베스트셀러로 분류되거나 알려진 경험이 적지 않았을 것이다. 이 같은 면을 감안해 본다면 영화감독의 사적 경험이 그가 제작하는 영화 공간을 구성하는 요인으로도 작용했을 것이라는 추론이 가능하다.

국내외 영화에서도 서점이 배경으로 나오는 영화들이 일부 있다. 해외 영화중에는 "미드나잇 인 파리(Midnight In Paris)", "유브갓메일(You've Got Mail)", "노팅힐(Notting Hill)", "비포선셋(before Sunset)" 등의 작품들이 대표적이다. 영화 "유브갓메일"은 남자와 여자 주인공 모두 서점을 운영하는 사람이다. 톰 행크스는 거대 서점을 소유, 운영하는 사람으로, 멕 라이언은 조그마한 어린이 서점을 운영하는 등장인물들이다. 영화 "미드나잇 인 파리"에서는 셰익스피어 앤 컴퍼니라는 서점이 등장한다. 이 서점은 "비포선셋"에서도 등장했던 곳이다. 영화

"노팅힐"에서는 남자 주인공이 런던 노팅힐에서 여행 전문서점인 "The Travel Bookshop"을 운영한다는 설정이 등장한다.

국내 영화인 "내부자들"에서는 주인공인 이병헌과 조승우가 잠시 숨어 있었던 곳으로 서점이 등장한다. 실제 영화에서 등장했던 서점은 실제로도 운영하는 곳으로 알려져 있다. 그 서점이 바로 단양에 있는 새한서점이다. 영화 "내부자들"에서 서점 공간은 내러티브 측면에서는 큰 중요성을 갖고 있지는 않아 보인다. 잠시 서울의 공간을 벗어나 새롭고 독특한 시골스러운 서점 분위기를 만들기 위한 시도 정도로 이해될 뿐이다.

국내 독립영화인 "후쿠오카"에서는 중고서점이 영화 촬영 공간으로 등장하기도 했다. 장률 감독의 "후쿠오카"에서는 등장인물인 제문이 서울에 중고서점을 운영하는 자영업자로 등장한다. 영화 속 서점은 2개다. 서울에 있는 정은 서점과 후쿠오카에 있는 이리에 서점 이다. 서로 다른 지역에 있는 서점의 공간들이지만 이들 서점은 영화에서 의미를 이끌어가는 핵심 공간이다.

서점은 오래된 헌책방이나 현대식으로 대형화된 프랜차이즈 서점, 또는 온라인 서점으로 구분할 수 있다. 영화에서 서점이라는 공간을 다루는 경우는 흔하지 않아 보인다. 서점 자체가 등장하는 영화들은 대체로 추억이나 사랑에 초점이 맞추어진 일부 영화들이다. 책의 냄새와 분위기는 액션 장면보다는 로맨스나 연애 장르에 더 가까운 것에 가깝다. 게다가 서점들은 시각에 의존하는 공간이지 청각이 지배하는 공간은 아니다. 시각으로 책의 활자들을 살펴보기 때문이다. 그래서 책방들은 조용하고 차분한 분위기가 지배적인 공간이다. 이 같은 공간적 구조에서 영화 이야기를 이끌 수 있는 장르들은 멜로 영화 등이 대부분일 가능성이 높다.

반면, 부산 보수동의 책방골목 등은 영화적으로 다양한 활용이 가능한 공간이다. 원도심 재개발이 가속화되는 시점에서 헌책을 거래하는 오래된 책방이 옹기종기 모여 있는 곳이기 때문이다. 그곳에서는 오래 전 향수를 느끼게 하는 시간의 감각이 살아 있는 곳이다. 그래서 부산 보수동 책방골목은 관광객들에게도 의미 있는 볼거리 공간이다. 이런 거리와 공간을 찾아보면, 서울에서는 청계천 헌책방 거리나 창신동 문구나 완구거리, 신당동 떡볶이 타운 등이 영화 공간으로 느낌이 좋은 곳이다.

(3) 성인오락실

보통 오락실은 지자체에 등록을 통해 정상적 영업을 해야 한다. 그러나 불법으로 운영되는 성인오락실도 적지 않아 보인다. 그런 만큼 성인오락실은 영화 속에서 조폭과 같은 폭력 조직들이 지배하는 공간 중의 하나로 활용된다. 뉴스를 통해 언급되는 성인오락실 범죄들은 한두 가지가 아니다. 승률과 당첨금 액수를 조작하는 행위에서부터 불법사행성 게임기 설치, 포인트를 현금 등으로 바꿔 주는 불법 환전행위, 오락실 내 몰카 등 다양한 불법 행위들이 벌어지기도 한다. 그 만큼 성인오락실은 불법과 탈법의 경계에서 운영되는 공간으로 쓰기에는 적당한 곳 중의 하나다.

성인오락실은 국내 영화에서도 폭력이나 액션 장면을 위한 공간으로 자주 활용되기도 했다. 이원태 감독의 영화 "악인전"에서는 성인오락실이 중요한 촬영 공간이다. 등장인물 정태석이 조폭 두목인 장동수를 만나는 장면에서부터 성인오락실을 급습하는 장면 등이 대표적이다. 이 영화는 2005년 성인오락실을 둘러싼 조폭들의 이권다툼을 보고 영화 아이디어를 얻은 작품으로 알려지기도 했다.

한편 영화 "비열한 거리"에서는 성인 오락실 게임도박장 운영권을 둘러싼 병두의 로타리파와 구역을 빼앗기고 싶지 않은 삼거리파가 오락실에서 난투극을 벌이는 공간이다. 이 좁은 공간에 많은 조폭들이 등장해 거침없이 오락기계들을 부수며 액션 장면들이 촬영되었다. 실제 오락실 촬영 장면은 작은 규모의 성인오락실에서 이루어진 것으로 알려진다. 이같이 좁은 공간에서 벌어지는 조폭들 간 싸움 장면은 주고받는 액션의 밀집 정도를 높여 영화 관객들의 집중도를 높이는 효과도 있는 것으로 보인다.

구체적으로 영화에서는 로타리파가 새롭게 성인오락실을 개업했지만 이를 공격하는 삼거리파의 폭력 장면이 그려진다. 다만 이를 지켜보는 배신자 민호의 모습도 같이 등장한다. 성인오락실에서 로타리파가 공격을 받았고 이를 복수하기 위해 로타리파가 삼거리파를 역습하려고 했지만 한강공원에서 다시 삼거리파가 더 큰 조직 구성원들을 이끌고 로타리파를 공격한다. 누가 이겼는지 결과는 영화에서 언급되지 않았다. 영화 속 성인오락실 장면이 촬영된 실제 위치는 천호동 성인오락실로 추정되고 있다.

(4) 봉고차

조폭 영화나 액션 영화를 볼 때 화면에 많이 등장하는 차 중의 하나가 봉고차이다. 봉고차는 1981년 기아자동차가 출시했던 12인승 승합차로 인기가 많았던 히트작이었다. 사람이 많이 탈 수 있었을 뿐만 아니라 짐도 실을 수 있고 기동력이 좋은 교통수단이었다. 영화에서 사람들을 실어 나르는 교통수단으로 버스를 활용했다면 더 많은 조폭 등장인물들을 태울 수는 있었을 것이다. 반면에 비교적 공간이 넓은 버스에서는 조폭들이 긴박하게 이동하는 기동력이나 긴박감을 창출해 내기에는 어려웠을 지도 모른다. 그런 점에서 10명 내외의 조폭 구성원들이 이동하는 차량으로 봉고차가 활용된 것은 적절해 보인다.

봉고차 공간은 폭력이 오고가는 액션의 공간으로 탈바꿈하기도 한다. 영화 "비열한 거리"에서는 6:2로 진행되는 봉고차 액션이 대표적이다. 달리는 봉고차 안에서 벌어지는 병두와 다른 조폭과의 대결은 좁은 공간 안에서 벌어지는 액션을 제대로 표현하고 있다. 달리는 차 안에서 이루어지는 액션 인만큼 공간의 제한이 많을 수밖에 없었다. 촬영의 측면에서나 연기의 측면에서 봉고차와 같이 극도로 좁은 공간에서의 액션 장면 촬영은 쉽지 않아 보인다. 자유로운 등장인물 연기나 촬영 카메라의 동선을 만들기가 쉽지 않기 때문이다.

병두와 부하 등 2인은 다른 조폭의 포로가 되어 봉고차 뒷 트렁크 쪽에 실려 이동한다. 적이라 부를 수 있는 조폭 집단 구성원은 6인이다. 병두는 라이터불로 손발을 묶은 줄을 풀고 봉고차 안에서 적들과 액션을 벌인다. 좁은 공간 내에서 8인이 한데 섞여 칼싸움이 벌어지고 제압하는 혼돈의 액션 장면이 펼쳐진다. 이후에 병두가 2:6 싸움에서 이기고 중요한 정보를 확보한 다음에 복수를 위해 다음 공간인 룸살롱으로 이동하게 된다.

봉고차를 포함해 트럭이나 버스, 또는 승용차나 불도저, 오토바이, 헬기에 이르기까지 영화에서 등장하는 교통수단은 다양하게 활용된다. 영화 주제에 따라 특정 교통수단들이 선택되고 촬영된다. 이들 교통수단에서 이루어지는 촬영은 쉽게 보이지 않는다. 공간이 비좁다보니 원활하게 연기자들의 연기와 촬영을 위해 정교한 준비 작업이 필요하다. 결과적으로 액션 영화들에서 특정 교통수단을 이용하는 이유는 빠른 속도감을 통한 긴장과 몰입의 극대화가 목적일 것이다.

액션 영화에서 등장하는 다양한 차량 액션 장면은 대부분 차량 밖에서 빠르게 주행하는 자동차 모습을 촬영하는 것이 많다. 도로 위에서 벌어지는 자동차 추격 장면은 액션 영화의 즐거움을 극대화하는 장치 중의 하나다. 다만, 액션 영화를 살펴보면 차량을 쫓고 쫓는 장면들은 많지만 차량 내부에서 이루어지는 액션 장면은 많지 않았던 것 같다. 특히 이동하는 차량 내부에서 벌어지는 액션 장면들은 새로운 시도들로 보인다.

한편, 봉고차를 소재로 액션을 포함하고 있는 영화로 "카터"가 대표적이다. 영화배우 주원이 주인공으로 출연했던 넷플릭스 영화 "카터"에서는 봉고차 3대를 주인공이 오고가는 액션 장면이 나타난다. 익스트림 액션물로도 평가받는 "카터"에서 가장 특이한 장면 중의 하나다. 봉고차라는 극히 비좁은 공간에서 이루어진 다양한 액션 장면들은 난이도 높은 작업의 결과물로 느껴진다. 영화 "카터"에서는 봉고차 장면을 원테이크로 촬영한 만큼 특정 공간 내에서 움직이는 출연자들의 동작들이 마치 게임과 같은 몰입감을 창출한다.

(5) 카라오케/룸살롱

조폭 영화들의 공통점 중의 하나는 공간 구성에서 유흥업소 공간이 빠지지 않고 등장한다는 것이다. 조폭들의 비즈니스 자체가 성인 오락실이나 주류 유흥업소를 중심으로 연계되다 보니 유흥업소 공간이 영화 속에 자주 나타난다. 조폭이나 폭력, 액션을 중심으로 하는 장르 영화들에서는 유흥업소의 공간이 비합법적 공간의 의미가 있다. 사회 시스템으로부터 일탈하는 범죄자와 범죄행위를 영상화하기 위해 이들 유흥업소 공간들이 활용되는 이유일 것이다.

보통 흔히들 볼 수 있는 폭력적인 범죄들은 대체로 거주지와 사무실, 그리고 인근 가게 등 일상생활 공간을 중심으로 이루어진다. 그러나 영화에서는 일상 공간보다는 극적인 표현을 위해 유흥접객업소 등이 더 자주 등장하게 된다. 극적인 측면이나 등장인물들의 관계 설정을 위해 공간을 의도적으로 구성하기 때문이다. 그 결과, 조폭이나 폭력과 관련된 영화들의 공간은 자연스럽게 유흥업소 공간으로 연결된다.

(6) 방파제

방파제는 파도로부터 해안과 항구를 보호하는 해양 구조물이다. 방파제는 바다에서 만들어지는 파도가 태풍 등과 결합될 때 나타나는 막대한 에너지를 막기 위한 장치다. 그래서 방파제는 바다 주위에서만 볼 수 있는 구조물이다. 이 같은 구조물이 영화에서는 나름 새로운 공간감을 창출할 수 있다.

영화에서 등장하는 방파제 자체가 바다를 상징하는 장치로 활용될 수 있기 때문이다. 게다가 거센 파도를 막는 소재로 방파제를 활용할 수도 있다. 우리 주위에서도 방파제와 같은 인물이나 캐릭터를 필요로 한다. 가령, 방파제는 거친 삶의 파도를 막고 새로운 삶의 방향을 제시할 수 있는 영웅 이미지와도 직접 연결될 수 있다.

방파제와 연계된 부속물이 테트라포드이다. 부산 지역 거의 대부분의 바닷가에는 테트라포드가 설치되어 있다. 최근에는 테트라포드에 색을 입혀 색채감을 높인 테트라포드도 설치되고 있다. 그 동안 영화 속 바닷가 등대가 낭만적인 장면을 만들기 위한 소재로 활용되었던 반면에 방파제는 활용이 많지 않았다.

최근 부산을 촬영지로 한 영화에서 비교적 자주 등장하는 공간 중의 하나가 방파제이다. 다른 지역에서는 방파제를 소재로 활용한 영화가 많지 않다. 부산을 중심으로 방파제와 연계된 장면이 집중된 것은 부산이 영화의 도시라서 그럴 수 있을 것이라는 생각이다. 가령, 부산 기장군에는 학리 방파제가 있다. 이곳 방파제는 영화 "보안관"이 촬영된 곳이기도 하다.

영화 "비열한 거리"에서 등장한 방파제는 부산 송도 방파제로 알려진다. 방파제의 이미지가 대체로 여러 재난을 막기 위한 방재 도구임에도 이 영화에서는 조폭들의 이동하는 공간으로 방파제를 활용했다. 이 영화에 등장한 방파제 장면은 야간에 이루어진 촬영이라 방파제 위치가 화면에 정확하게 드러나지는 않는다. 다만, 야간 방파제 주위에 지나다니는 사람들이 많지 않아 촬영이 비교적 편하게 진행되었을 것이라는 생각이다.

(7) 생맥주집/호프집

호프집은 생맥주를 마실 수 있는 공간이다. 호프집이 시작된 것은 1986년부터다. 맥주의 원료인 홉과 호프집의 호프는 다른 말이다. 호프집은 독일어 HOF로부터 시작된 마당이나 정원 등의 공간을 나타내는 말이다. 1990년대 급속히 팽창한 호프집 문화는 일반인들의 소소한 일상을 반영하는 공간 문화였다. 술을 마실 뿐만 아니라 이야기와 대화를 통해 사람들이 소통하던 공간이었다.

한국의 호프집은 조선시대 주점문화와 관련될 수 있다. 조선시대에는 주막이라는 술집 공간이 있었다. 18세기 이후 서울의 주막은 술과 안주를, 지역의 주막은 술과 밥, 숙박을 동시에 제공하는 기능들이 있었다. 조선 후기에는 서울 지역 주막이 선술집이나 주점과 밥집으로 전문화된 반면에 한편으로 퇴폐적인 내외주점 등이 생겨났다.[3] 이후 일제 강점기 시대에는 주점과 식당, 숙박업이 분리되기 시작한 시점이다. 주막은 1970년대까지 영업이 이루어지다가 나이트클럽이나 다양한 술집 등으로 대체된 공간이다.

주막이 성업하는 동안에 가장 보편적인 술은 탁주, 다시 말해 막걸리였다. 그러나 1980년대 대학가 일부에서 생맥주 소비가 늘어나면서 국내 술 문화는 소주 중심으로 바뀌었다. 이후 을지로 등 도심지 노포를 중심으로 직장인들이 맥주와 노가리 안주를 찾게 되면서 생맥주 소비가 서민들의 가장 보편적인 술 문화로 바뀌게 되었다.

---

3) 주영하(2008). '주막'의 근대적 지속과 분화 : 한국음식점의 근대성에 대한 일고(一考). 실천민속학 연구 11, 5~28.

국내 영화에서도 서민적인 술집 장면을 연출하기 위해 호프집이나 맥주집이 많이 등장한다. 일일이 수를 셀 수 없을 정도로 영화 속 음주 장면은 빈도도 높을 뿐만 아니라 다양하다. 가령, 영화 “기생충”에서의 가맥과 같이 동네 가게 앞에서 맥주를 마시는 장면들도 있지만 가장 흔한 장면 중의 하나는 편의점 앞에서 벌어지는 등장인물들의 음주 장면일 것이다.

영화 “비열한 거리”에서도 병두가 초등학교 친구들과 만나게 되는 동창회가 열린 곳이 호프집이다. 이 생맥주집 공간에 등장하는 인물들이 병두 초등학교 동창들로 나이는 20대 직장인들이 대부분이다. 생맥주집에서 제공되는 먹거리 역시 생맥주와 과일안주, 마른안주, 치킨 등으로 평범하다. 이 영화에서는 생맥주집이 공간적으로 특별하게 다루어지지는 않았다. 오히려 이 공간에서는 평범하지 않은 병두와 평범한 친구들의 만남에 더 초점을 맞췄던 것으로 보인다.

(8) 아파트

아파트는 현대 새로운 건축 구조물이다. 프랑스 건축가이자 도시설계자인 르꼬르뷔지에의 아이디어가 구체화된 도시 공간이다. 우리나라에서는 해방 이후 산업화로 도시로 인구가 집중되면서 감당할 수 없게 된 도시계획의 문제를 푸는 실마리가 아파트였다. 단독주택에서 집합주택으로 거주지 공간의 중심이 이동되는 시점이었다.

아파트는 영화 촬영지로 그 유용성이 높다. 오래되고 낡은 아파트들은 영화적으로 다양한 효과를 창출하기가 좋기 때문이다. 아파트는 오래된 시간과 낡은 공간이 결합된 공동주택으로 그 자체가 하나의 역사적 공동체이기도 하다. 국내 영화 촬영지로 가장 많이 이용된 아파트는 남산외인아파트로 추정된다. 이곳에서 수많은 국내 영화들이 촬영되었다. 그러나 남산외인아파트는 1994년 철거되었다.

영화 “멋진 하루”와 드라마 “나의 아저씨”에서 나타난 서울 서소문아파트는 아파트를 핵심 촬영지로 활용했던 대표적인 작품들이다. 만초천이라는 하천길을 따라 건축된 독특한 아파트다. 만초천 물줄기의 영향으로 서소문 아파트는 매우 독특한 방식으로 건축되었다. 그러나 서소문아파트 역시 인근 개발계획에 따라 철거될 가능성이 높다.

회현2시민아파트 역시 구조와 오래된 느낌 때문에 영화 촬영지로 많이 등장한 지역이다. 이 아파트는 ㄷ자 모양의 아파트다. 넷플릭스 드라마 “스위트홈”은 이 아파트 복도에서 촬영했고 아파트 모습은 충정아파트를 모티브로 활용했다. 설계 구조가 독특해 영화 촬영지로 많이 활용되었다. 이미 철거된 1차 시민아파트와는 별개로 2차 회현시민아파트는 철거가 확정되었다.

영화 “비열한 거리”에서 등장하는 아파트는 다양하다. 첫 번째, 주인공 병두가 영화 초반부에 떼먹은 돈을 대신 받기 위해 아파트 앞에 서 있는 장면이 등장한다. 이 아파트는 가장 보편적인 아파트 형태로 대략적으로 가장 평범한 사람들이 거주하는 이미지를 만들고 있다. 다만, 이 아파트가 어디에 있는 무슨 아파트인지는 구체적으로 드러나지 않았다.

두 번째 아파트는 병두가 재개발 집을 포기하고 새로운 아파트로 이사 가게 된 집이다. 이 아파트는 남산타운 아파트로 추정된다. 남산타운아파트는 남산 자락에 있지만 아파트가 속해 있는 행정 구역은 성동구

신당동에 있다.

영화에서는 세 번째 재개발 대상 아파트가 등장한다. 영화 속 병두는 재개발 추진에 참여해 안정적으로 조폭 조직을 운영하고자 하는 중간 보스로 등장한다. 그런 만큼 영화에서 등장하는 재개발 아파트는 건설 자본이나 이와 연계된 조폭과의 연계성을 드러내는 공간으로 나타났다.

4) 재개발 공간이 된 식당: 해바라기

꽃을 소재로 제작된 영화는 많지 않은 것 같다. 플로리스트나 정원을 소재로 한 영화 정도가 간간히 생각날 뿐이다. 가령 영화 "플라워 쇼"나 "블루밍 러브" 등이다. 국내에서는 영화 "꽃 피는 봄이 오면"이 꽃을 소재로 만든 영화다. 일본에는 "4월 이야기"나 "초속 5센티미터"와 같이 벚꽃을 소재로 제작된 영화나 애니메이션도 있다. 꽃을 다룬 영화들이 많이 있을 것 같기는 한데 현실은 그렇지 않은 듯하다.

꽃이나 꽃집을 영화에서 다루게 되면 꽃 자체가 매력적인 소재일 뿐 아니라 꽃을 매개로 하는 인간관계를 섬세하게 다룰 수 있는 이점이 있을 것 같다. 그러나 영화를 보다 보면 꽃과 관련된 소재가 흔하지 않다는 것을 알게 된다. 꽃은 동적이기 보다는 정적이며 큰 움직임보다는 미세하고 섬세함을 다루기 때문이 아닐까? 게다가 꽃은 아름답거나 화려하지만 오래 가지 않는다. 이런 이유들이라면 영화에서 꽃이 다루어지지 않는 이유에 대한 충분한 설명이 되는 것일까?

강석범 감독의 영화 "해바라기"는 꽃이 아니라 해바라기라는 식당 이름을 의미한다. 영화 제목은 "해바라기"이지만 해바라기는 등장하지 않는다. 감독이 해바라기라는 이름을 쓴 이유는 해바라기가 갖고 있는 상징적 의미를 강조하기 위했을 것이다. 영화에서는 해바라기 식당이라는 이름과 공간만 남아 있다.

실제로 해바라기를 바라보면 화가 고흐가 생각나기도 한다. 해바라기를 사랑했던 고흐와 그가 그린 노란 해바라기들이 기억난다. 해바라기는 사람들에게 여러 의미를 갖게 한다. 감사함일 수도 또는 희망일수도 있다. 영화 “해바라기” 역시 해바라기 식당이 가족의 희망과 사랑이 충만한 공간이었음을 표현하고 싶었는지 모른다.

영화 “해바라기”는 원래의 가족은 아니었지만 가족보다 더 가까워진 사람들 간의 따뜻한 관계와 희망을 그리는 영화다. 그 중심에 있는 해바라기 식당은 주인공들이 새로운 희망을 갖게 된 공간이다. 주인공 태식은 덕자와 원수 관계였지만 덕자와 그의 딸 희주 모두와 한 가족이 되었다.

그래서 영화 “해바라기”는 새롭게 만들어진 가족의 희망이 남아 있던 공간이다. 해바라기는 기다림을 의미하기도 하지만 영화 “해바라기” 속의 해바라기 식당은 따뜻함이 넘치는 공간이다. 그러나 영화 속 이 식당은 도시 재개발로 인해 해체될 위기에 직면한다. 그리고 조폭들이 식당을 습격하면서 해바라기 공간은 끝내 철거된다. 영화 “해바라기”의 이야기다.

영화 “해바라기”에서 식당은 중요한 의미 공간이다. 재개발을 추진하려는 용역 깡패의 입장에서 보면 알박기 공간에 불과한 곳이다. 그러나 태식 입장에서 보면 가족들이 편히 지낼 수 있는 따뜻한 감정 교류의 공간이다. 개발이 더 중요한 것인지 아니면 가족의 유지가 더 가치가 있는 것인지 두 가지 대조적인 시각들이 갈등하면서 영화 이야기는 빠르게 전개된다. 해바라기 식당은 그 갈등의 중심지다. 해바라기 식당과 함께 지방 소도시 공간, 덕자의 집과 옥상, 오라클 나이트클럽 등 영화 “해바라기”를 이끌어가는 핵심 공간으로 등장한다.

영화 “해바라기” 공간 구성을 구체적으로 살펴보면 다음과 같다. 대체로 이 영화에서는 18개 내외 공간이 등장한다. 첫째는 이름을 알 수 없는 지역 소도시다. 영화 속 이 도시가 명확히 어떤 도시인지는 알 수 없지만 재개발이 진행되는 도시 공간 정도로 표현되고 있다.

다음으로 가장 중요한 해바라기 식당이 있다. 식당 외부 모습을 보면 마치 실제로 있는 식당 같지만 내부는 세트로 만들어진 공간이다. 영화 속 주인공 3인이 한 가족으로 삶을 살아가는 희망의 공간이지만 재개발의 표적이 된 곳이다. 영화의 이야기를 끌고 가는 가장 중요한 공간이다.

덕자 집 옥상은 가족이 된 태식과 여동생 희주가 서로 정겨운 대화를 주고받던 공간이다. 태식이 가장 편안하게 가족의 느낌을 받았던 곳이다. 덕자 집은 3인 가족이 식사하고 휴식하는 말 그대로의 따뜻한 집으로 등장한다. 그러나 영화 끝 부분에 덕자의 집도 조폭들의 공격을 받아 무너지기 시작한다. 곧 이어 태식이 이들에 대한 복수를 결심하는 곳도 덕자의 집이다.

다음으로 해바라기 식당과 더불어 가장 중요한 공간이 오라클 나이트 클럽이다. 이곳은 지역 조폭들의 아지트이다. 도시 재개발을 통해 탐욕을 충족하려는 폭력 조직들이 기생하는 곳이자 태식이 조폭들을 완전히 제압하게 되는 폭력의 공간이다.

기타 공간들, 가령 목욕탕이 시장, 경찰서, 병원, 조판수 회사, 양기 사무실, 조판수 자동차, 가라오케, 웰빙 카센터, 학원, 노래방, 대학, 연지공원 등은 핵심 공간들을 연결하고 보완하는 기능들을 담당한다. 이중에서 공간적으로 특이한 구성은 목욕탕이다. 태식이 고향으로 와서 다시 새로운 마음으로 목욕탕에 들어가는 장면이 등장한다. 태식이 목욕탕에서 사물함 열쇠 잠금장치를 다루지 못한다거나 또는 몸에 문신이 있는 장면들을 통해 태식이의 정체성이 드러나기 시작한다. 태식이 그 동안 폭력 조직에 참여하고 세상과 잘 소통하지 못했다는 것을 상징적으로 보여주던 곳이 목욕탕이었다.

엔딩 장면의 연지공원도 해 지는 노을 속에 쌓인 도시의 야경을 아름답게 그리고 있다. 태식이 가족의 복수를 위해 오라클 나이트클럽에 단신으로 뛰어들어 그들 모두를 단죄하는 장면은 마치 원빈 출연의 영화 "아저씨"와 비슷한 느낌이다. 오라클 나이트클럽 장면이 마무리된 이후에는 연지공원 엔딩 장면으로 영화는 마무리된다. 연지공원은 태식이 첫사랑이었던 은미와 대화하던 추억의 공간이다. 그러나 모두 떠나고 태식의 동생 희주 혼자 공원에서 저녁노을과 도시의 모습을 바라보는 장면으로 영화는 마무리된다.

영화 "해바라기"에서 나타난 주요 공간별 특성을 살펴보면 다음과 같다.

<표 5> 영화 "해바라기" 주요 공간 구성

공간	등장인물	이야기	특성
지역 도시	-	재개발 도시 공간인 장유시	특정 도시를 상징하는 장치가 없음
해바라기 식당	3인 가족/건달들	재개발의 표적이 된 핵심 공간	세트
집 옥상	태식/희주	가족이 된 태식과 희주의 대화 공간	장소성이 없음
덕자의 집	3인 가족	가족으로서의 사랑이 넘치는 공간	인식하기가 어려움
오라클 나이트클럽	태식/건달들	태식이 조폭을 제압한 액션 공간	세트
목욕탕	태식	열쇠 잠금장치/문신	익명성
시장	조판수/건달들	조판수 시의원 당선 감사 인사 재래시장 리모델링 권유	구분하기 어려움
경찰서	태식	가석방된 태식이 신고를 위해 들른 곳, 경찰이 된 최민석과 만난다	일반적인 공간
병원	태식	문신을 지우기 위해 들른 곳	일반적인 공간
조판수 회사	조판수/건달들/덕자	장유시 시의원 조판수 사무실이 있는 곳	사무실
조판수 자동차	조판수/병진	해바라기 식당 재개발/오태식 논의가 이루어지는 공간	
가라오케	창무/건달들	오래된 허름한 가라오케	술집
웰빙 카센터	태식/카센터 사장/건달들	태식이 일자리를 구한 곳	인식하기가 어려움
학원	태식/희주	수학, 태식이 이은미를 보기 위해 들른 곳	학원
노래방	건달들	시의원 당선 축하 모임 개최	노래방
대학	희주	대학 조교가 된 희주의 수업 모습	특정 대학인 것을 알기 어려움

공간	등장인물	이야기	특성
연지공원	태식/희주	태식과 이은미가 대화하던 곳, 희주가 공원에서 저녁 노을의 도시를 바라보는 모습	공원 정도로만 인식됨

(1) 지방 소도시

영화의 주 촬영지는 대도시가 많다. 대도시는 공간 다양성이 높아 영화를 제작하기에 이점이 많다. 대도시를 상징하는 건축물이나 교통시설, 공원 등 영화의 현재 시점을 그리기에 적절하다. 가령, 서울 강남의 테헤란로 빌딩 숲이나 뉴욕의 고층 마천루 공간은 영화 배경으로 활용하기에 흥미로운 곳들이다. 그러나 대도시인 만큼 교통 혼잡 관리 측면에서 촬영을 진행하기에 어려운 점들도 많다.

대도시에 비해 지방 소도시 촬영지 선택은 나름대로 장단점이 있다. 장점으로는 지방 소도시가 갖는 오래된 낡음 또는 정겨움을 만들 수 있다. 단점으로는 지방 소도시는 공간의 구성이나 인지도가 낮아 관객들이 한 눈에 알아볼 수 있는 공간적 매력이 취약하다. 특히, 도시별로 차별화되지 않은 지방 소도시는 영화 관객들이 해당 공간을 쉽게 인식하기 어렵게 만든다. 특정 장소가 갖는 상징적 가치가 배제되고 그저 지방 정도의 공간이 나열되어 있는 정도로 도시 공간이 쓰이게 된다.

대도시 중심으로 영화를 제작하기에 적합한 도시는 서울이나 또는 부산 정도다. 서울이나 부산이 영화 촬영지로 가장 많이 선택되는 이유는 두 도시 모두 공간 다양성이 높을 뿐만 아니라 정체성이 뚜렷하다는 점

때문일 것이다. 도시 안 산동네부터 평지에 이르기까지 높낮이가 다르고 역사적으로 다양한 특성들을 갖추고 있다. 게다가 영화 관객 입장에서는 한 눈에 서울 또는 부산이라는 장소 인식이 쉽게 이루어진다. 뿐만 아니라, 서울이나 부산 구도심 지역에는 오래된 건물이나 거리가 많을 뿐만 아니라 재건축이나 재개발이 많아서 영화 제작에 필요한 공간 요소들이 충분하게 남아 있다.

가령, 서울은 근대화가 빠르게 진행되어 왔을 뿐만 아니라 전통 건물이나 문화 콘텐츠가 공존하는 곳이다. 서울은 공간적으로 근대와 전통이 구분되기도 하지만 이들이 서로 양립하기도 한다는 점에서 매력적이다. 영화 공간적으로 서울은 중요한 의미가 있다. 서울이라는 공간에 역사성과 특수성이 같이 있기 때문이다(김소영, 1994). 서울은 오래된 시간의 흔적들과 새로운 모던 건물들이 공존하는 복합 도시다. 영화 제작자들에게 서울은 영화적으로 다양한 표현이나 구성이 가능한 기회 공간이다.

한편, 부산은 서울이 갖지 못한 바다라는 배경, 해운대 옆 초고층 아파트 타운, 부산국제영화제 개최 도시이자 문화 도시라는 또 다른 매력 요소들이 있다. 2000년 영화 "친구"를 시작으로 부산의 시장이나 도심, 바다 등은 영화 속에서 많이 활용된 공간들이다. 부산국제영화제 개최는 부산이 영화와 직접 연계되는 도심 공간이라는 이미지를 추가하는 효과를 불러일으켰다. 영화진흥위원회 등 영화 진흥 공공기관은 이미 부산으로 본사를 이전했을 정도다.

그렇다면 핵심 촬영지로 서울과 부산을 선택하지 않은 영화들은 그 이유가 무엇일까? 왜 일부 영화들은 대도시보다는 지역 소도시를 핵심 촬영지로 선택했을까? 장률 감독의 영화를 살펴보면, 지방 소도시들이 영화에서 중요한 공간들로 자주 등장한다. 군산이나 이리, 경주 등이다. 그가 표현하고자 하는 영화적 섬세함과 등장인물들의 관계를 표현하기 위해 서울이나 부산보다는 비교적 잘 알려지지 않은 미지의 공간이 더 필요했던 것은 아닐까?

이와 같은 질문들은 영화 "해바라기"와도 연결된다. 영화 "해바라기"에서 등장했던 지방 소도시는 확인해 보니 김해시 장유면으로 보인다. 장유는 실제 김해시 내에 신도시 개발이 이루어지기 시작한 곳이다. 부산과 가까운 곳이지만 부산의 전형적인 이미지와는 완전히 다른 특성이 남아 있던 곳이다. 영화 "해바라기" 제작진들이 도시 재개발이라는 개념을 활용하기 위해 부산이 아닌 부산 근처의 오래된 도심 공간을 선택했던 것으로 보인다.

김해는 부산에 인접해 있는 도시로 구도심은 오래된 느낌이 진하게 풍겨나는 곳이다. 반면에 재건축이나 재개발을 통해 새로운 신축 건물들이 들어서 구도심과는 대조를 이루는 곳이다. 영화 "범죄와의 전쟁"에서 등장했던 부산 양곱창 식당도 김해에 자리잡고 있던 식당이었다. 뿌연 연기와 기름때가 묻은 허름한 식당으로 표현하기에 최적의 공간이었을 것이다. 영화 "전국노래자랑"에서도 일부 장면들은 김해시 공공시설들을 배경으로 촬영되기도 했다. 부산이 거대 해양 도시 이미지가 강한 반면에 김해는 도시 개발이 활발하게 이루어지던 주변부 도시로 쓰기에 적합한 공간이었을지 모른다.

(2) 식당(해바라기)

영화 "해바라기"에서 가장 중요한 공간이 해바라기 식당이다. 해바라기 식당은 주인공인 태식이 또 다른 가족을 만나 인간답게 일상적인 삶을 시작하는 희망의 공간이다. 그러나 해바라기 식당은 재개발 사업 추진에 탐욕으로 가득한 조폭들이 달려들던 폐허의 공간이기도 하다. 영화 "해바라기"에서 희망과 욕망의 이중주를 그려내던 곳이 해바라기 식당이다.

한 가지 의문점은 굳이 해바라기 식당을 이 영화에서 가장 중요한 공간으로 설정했는지에 대해서다. 물론 영화에서는 서민의 삶이나 재개발로 밀려나는 철거민의 생활을 그려낼 수 있는 공간으로 식당을 활용했을 가능성이 높다. 그러나 도시 재개발 과정에서 길가 외진 곳에 있던 해바라기 식당이 그렇게 중요한 지점이었는지, 그리고 식당을 꼭 지켜야 할 이유가 무엇인지는 영화에서는 충분한 설명이 제공되지 않았다.

영화에서 식당을 메인 공간으로 활용하는 일은 적지 않다. 가령, 영화 "카모메 식당"은 핀란드 헬싱키를 배경으로 만든 식당에서 벌어지는 일을 다룬 영화다. 잔잔한 영화 "카모메 식당"은 헬싱키에서 문을 열었지만 손님이 없는 일식당이다. 식당에서 일하는 3명의 주인공들이 이 식당을 찾는 다양한 손님들과 마주치고 대화하는 영화다. 국내 영화 "하나식당"도 오키나와에서 주인공 하나와 아르바이트생 세희, 그리고 식당을 찾는 손님들 간의 관계를 다룬 영화라는 점에서 "카모메 식당"과 흐름이 비슷하다.

일본에는 "심야식당"이라는 영화도 있다. 만화 원작으로 드라마로 제작되었다가 영화로까지 만들어졌다. 심야 영업을 시작하는 식당에서 제공되는 음식과 그 안에 몰려든 사람들의 이야기를 다룬 영화다. 국내 영화중에는 치킨 집을 메인 공간으로 설정한 영화 "극한직업"도 있다. 2019년 이병헌 감독이 연출한 영화다. 마약반 형사들이 마약조직을 소탕하기 위해 치킨 집에 위장해 들어갔다가 치킨집을 인수해 운영하는 자영업자로 변신한다는 줄거리다. 동네에서 흔하게 볼 수 있는 일상 공간인 치킨 집, 그리고 맛있어 보이는 치킨이라는 소재를 재미있게 활용한 코미디 영화다.

영화 "해바라기"에서 등장한 식당은 실제 식당이 아니라 세트로 알려져 있다. 영화 속에 등장한 해바라기 식당은 재건축 직전의 오래된 식당 분위기가 잘 드러나 있다. 그러나 해바라기 식당 주위로 보이는 건물들은 대부분 새로운 건물이다. 새 건물 사이로 덩그러니 해바라기 식당만 남아 있다. 새롭고 오래된 건물의 대조 방식을 통해 세트 속 식당의 위치나 의미들이 강조되고 있다. 허름하지만 해바라기 식당은 영화 주인공 태식이 가족이라는 따뜻함을 깨닫는 공간이다. 그 따뜻함을 오래 갖고 싶어 했던 태식의 희망은 해바라기 식당에서 서서히 생겨나 그곳에서 사라진다.

(3) 덕자의 집

영화 "해바라기"에서 또 다른 의미 공간은 덕자의 집이다. 덕자는 태식이 가족이 아닌 원수지만 모든 것을 용서하고 그를 가족 구성원으로 품는 곳이다. 영화 속 해바라기 식당이 덕자가 돈을 벌고 생활하는 경제

공간으로 등장했다면 덕자의 집은 원수라고 할 수 있는 조폭 출신 태식이를 감쌀 수 있는 사랑의 공간이다. 특히 덕자의 집은 오랫동안 가족의 사랑을 느껴보지 못했던 태식이를 한 가족으로 품는 편안한 공간이다. 그 덕자의 집에 덕자와 그의 딸 희주, 그리고 태식이 새로운 가족으로 같이 살기 시작한다. 영화 이야기가 출발하는 지점이다.

영화 속 덕자의 집에서는 꽤 많은 장면들이 촬영되었다. 이곳은 태식이와 덕자, 희주가 한 가족으로서 정을 쌓기 시작한 공간이기 때문이다. 영화에서는 덕자의 집을 중심으로 대략 14개 장면들이 등장한다. 가령, 처음에는 태식이 덕자의 가족이 된 이후로 그에게 방 열쇠를 주고받는 관계의 시작 장면이, 이후 희주와 태식이 남매로서 서로에게 익숙해지는 장면, 그리고 영화 끝부분에서는 진정한 가족이 된 세 사람이 가족을 지키기 위해 노력하고 고민하는 장면 등 다양한 장면들이 덕자의 집을 배경으로 등장한다.

<표 6> 영화 "해바라기" 속 덕자 집 주요 공간 구성

순서	공간	시간	등장인물	이야기
1	거실	-	태식/덕자/희주	고기쌈을 먹고 태식의 방을 안내한다
2	태식 방	아침	태식/희주	희주가 집 열쇠를 태식에게 설명한다
3	태식 방	-	태식/희주	희주가 약봉투를 태식에게 전달하고 이은미와의 관계를 물어본다
4	앞마당	저녁	태식/희주	희주가 태식이 잠깐 만난 다음에 옥상으로 이동한다
5	덕자 방	-	태식/덕주/희주	태식이 덕자에게 신발을 선물한다
6	태식 방	-	태식/희주	태식이 희주에게 PMP를 선물한다
7	앞마당	낮	태식/희주	희주가 PMP로 태식이를 촬영하고 소풍가기로 한다
8	덕자 방	-	덕자/희주	덕자가 희주에게 태식이를 양아들 삼은 이야기를 한다
9	거실	-	태식/덕자/희주	덕자가 술을 먹으며 가족을 지킨다는 말을 한다
10	덕자 방	-	태식/덕자	덕자가 태식에게 가족이 가장 소중하다는 말을 한다
11	희주 방	-	덕자	덕자가 희주방에서 희주 옷을 챙기는 장면이다
12	거실	-	덕자/양기/건달들	덕자가 방백을 하고 양기의 습격을 받는다
13	앞마당	밤	태식	태식이 사실을 알게 된다
14	거실	밤	태식	태식이 괴로워하면서 술을 마시는 장면이다

영화 "해바라기" 속 덕자 집의 공간 구성을 보면 거실, 태식이 방, 앞마당, 덕자 방, 희주 방 등이 교차하면서 촬영 공간으로 활용되었다. 이 중 가장 중요한 공간은 3명의 식구들이 같이 고기쌈을 먹거나 술을 먹던 거실이다. 그러나 이 공간은 덕자가 양기의 습격을 받고 한편 태식이 술을 먹으며 괴로워하는 공간으로 분위기가 바뀌는 곳이다. 태식이 희주와 대화하면서 본격적으로 가족 구성원이 되는 태식이 방 장면도 3회 정도 등장한다. 태식이 덕자와 주로 대화하는 공간은 덕자 방이다.

영화 "해바라기" 속 덕자 집은 3인으로 구성된 가족인데 각자의 방이 있고 방마다 대화 주제나 상대가 달라지는 특성이 있다. 이들 가족 모두가 모이는 공간은 대체로 거실이지만 거실은 덕자가 조폭의 습격을 받는 공간이기도 하다. 특이하게 덕자 집은 앞마당이 있어서 평범하고 편안한 가족의 모습을 구성하는 데 자연스러워 보인다. 덕자 집의 또 다른 공간인 옥상은 별도 공간으로 분리해서 살펴보는 것이 더 적절해 보인다.

(4) 덕자의 집 옥상

옥상은 영화에서 비교적 많이 등장하는 공간이다. 옥상은 드라마 "옥탑방 고양이"에서 나타나듯이 옥상에서 거주하는 서민들의 가난한 삶을 그리거나 영화 "엑시트"에서 나온 것과 같이 탈출의 희망 공간으로 활용되기도 한다. 반면에 옥상은 영화 "말죽거리 잔혹사"에서 권상우가 친구들을 괴롭히던 일진을 불러내 응징하던 액션의 공간으로 등장하기도 한다.

옥상은 막장과 같다. 더 이상 후퇴할 수 없는 극한의 공간이기 때문이다. 영화 "공조2"에서도 옥상은 화끈한 액션이 난무하는 공간으로 활용된다. 특히, 남산이 보이는 일반 주택가 옥상에서의 액션, 강남 센터필드 고층 빌딩 옥상에서 벌어지는 액션들은 영화 볼 맛 나는 장면들이다.

영화 "해바라기"에서 옥상은 가장 친밀하고 가족적인 공간이다. 태식과 희주가 서로 가족이 된 이후 덕자의 집 옥상에서 편안한 모습으로 대화하는 장면들이 많이 등장한다. 그들에게 옥상이라는 공간은 가족들이 서로 사랑과 희망을 이야기하는 따뜻한 공간이다. 그래서 영화 "해바라기"에서 자주 등장하는 옥상을 핵심적인 촬영지로 선택한 것은 적절해 보인다.

옥상은 개방감이 높을 뿐만 아니라 옥상 뒤편으로 보이는 도시의 밤과 낮이 마치 수채화처럼 아름답다. 실내에서 촬영할 때에는 불가능한 화면 구성이 옥상의 공간에서는 비교적 자유롭게 가능하다. 영화 "해바라기"에서 옥상은 가족이 된 태식과 희주가 서로의 진실을 깨닫는 동시에 마음이 열리는 공간이다. 영화에서 태식과 희주가 옥상으로 올라가 태식의 정체를 알게 된 곳이기 때문이다.

(5) 오라클(나이트클럽)

오라클 나이트클럽은 영화 "해바라기"의 욕망을 상징하는 조판수, 양기, 창무, 병진의 공간이다. 이들은 재개발 사업 뿐만 아니라 또 다른 욕망을 위해 나이트클럽을 세운다. 이들은 동네 양아치와 지역 시의원 등 지역 내 권력자들이 연결된 공동체이다. 도시 재개발이라는 이름으로 평범한 사람들이 가진 희망을 타락과 욕망으로 가득 채우려는 악인들이다. 다만, 폭력에 의존하는 악인들의 공간이 나이트클럽을 중심으로 포지셔닝되어 있다는 점은 진부한 측면이 있다. 이들은 일상생활 공간에서도 자신들의 욕망을 위해 다양한 방식으로 문어발식으로 영역을 확대하려는 사람들이다. 영화에서 조폭이나 부정부패 세력들을 표현할 때 매번 쓰이는 나이트클럽과 같은 유흥업체 외에도 새로운 공간 탐색이 필요한 부분이 아닐까?

영화 "해바라기"에서 등장하는 나이트클럽 이름은 오라클이다. 우리가 잘 알고 있는 글로벌 소프트웨어 IT 기업의 이름이기도 하다. 그러나 오라클 나이트클럽은 기업 이름과는 관계는 없다. 오라클은 예언자라는 의미다. 그러나 영화 "해바라기"에서 나이트클럽의 이름을 오라클로 지은 것은 무슨 이유일까? 마치 선악의 의미로 악인들이 거주하는 공간을 지칭하기 위해 만든 것은 아닐까?

영화에서 등장하는 오라클 나이트클럽은 부산에 만든 세트다. 마치 로마시대 원형극장과 같이 폐쇄된 공간에서 치열하게 액션을 벌이게 되는 공간 구조다. 원형경기장은 외부에 있는 사람들에게는 스펙터클한 구경거리다. 그러나 공간 내부에 있는 사람들에게는 생존의 문제가 달려 있다. 싸움에서 이겨야 살 수 있기 때문이다. 영화 "글래디에이터"에서 나오는 원형 경기장과 같이 오라클 나이트클럽은 앞으로 일어나게 될 태식의 분노와 악이 소멸하는 공간으로 나타난다.

영화에서 나이트클럽과 같은 유흥업소들이 핵심 촬영지로 활용되는 것은 드물지 않다. 영화 "바람의 전설"은 춤이라는 주제의 영화로 핵심 촬영지가 나이트클럽이다. 나이트클럽에서 연주하는 남성 4인조 밴드를 소재로 한 영화 "와이키키 브라더스"는 수안보 와이키키 관광호텔 나이트클럽이 핵심 촬영지였다. 영화 "범죄와의 전쟁"에서는 여러 나이트클럽들이 등장했다.

나이트클럽이라는 공간은 영화를 통해 유흥과 타락을 상징하는 공간으로 빈번하게 활용되어 왔다. 영화 "해바라기" 역시 나이트클럽은 악당들이 모여 있는 타락의 공간으로 오히려 가장 먼저 철거되어야 하는 재개발 공간이라는 의미가 포함된 곳이다.

영화 "해바라기" 엔딩 오라클 나이트클럽 장면을 살펴보면 태식의 나이트클럽 진입과 최종적으로 태식이만 홀로 남게 되는 구성으로 이루어졌다. 대부분의 조폭이나 악인들이 등장하는 느와르 장르 영화들의 엔딩 장면은 모든 주인공들이 하나의 공간에 모여 담판을 겨루는 일이 많다. 이 영화에서도 탐욕과 폭력의 공간인 오라클 나이트클럽에 조판수, 양기, 창무, 병진 등 조폭 무리들이 모여 있고 이들의 공간에 태식이 들어간다.

태식의 사실 확인과 복수가 시작되고 조폭 막내 상철이 도발하지만 태식에 의해 진압된다. 다음으로 수많은 조폭 무리들과의 본격 액션 장면이 펼쳐진다. 맨손 또는 막대기 하나로 양기와 창무, 19명의 부하들을 제압한 태식은 두목격인 조판수도 진압한다. 이들 조폭 무리들 중에 유일하게 태식과 감정 교류가 있었던 병진만 나이트클럽이라는 공간에서 벗어날 수 있도록 태식이 허용한다. 모든 조폭들을 진압한 태식은 앉아서 과거를 회상하고 한편 오라클 나이트클럽은 불타오르며 무너져 내린다.

<표 7> 영화 “해바라기” 엔딩 오라클 나이트클럽 주요 장면

공간	시간	등장인물	이야기
오라클 나이트 클럽	알 수 없지만 밤으로 추정	조판수, 양기, 창무, 병진 외 조폭 무리들	원형극장 분위기에서 조폭 무리들 축배
		태식의 등장과 대사, 병진의 이탈	태식의 사실 확인과 복수
		조폭 막내 상철의 도발과 진압	막내의 도발, 담뱃불이 붙는 오라클
		조폭 무리들과의 본격 액션 부하19까지 등장 및 진압	거의 맨손 또는 막대기로 양기, 창무 및 부하19까지 진압
		두목격인 조판수 진압	도망가던 조판수 진압
		앉아있는 태식	태식의 과거 회상 장면들 연결 불타오르며 무너져 내리는 오라클 나이트클럽

5) 재개발 공간이 된 전통 시장: 염력

2018년 영화 "염력"은 영화 "부산행"(2016년)을 연출했던 연상호 감독의 두 번째 실사 영화 작품이다. 애니메이션 영화감독이었던 그의 실사 영화 연출은 2020년 영화 "반도"로 이어진다. 영화 "부산행"이 좀비물이라는 특성을 감안해 본다면 이는 애니메이션 "서울역"과 유사성이 높다. 실사 영화로 제한을 해본다면 초능력을 다룬 영화 "염력"은 연상호 감독의 또 다른 세계다.

연상호 감독은 극영화를 만들기 이전에는 애니메이션 "돼지의 왕"(2011년), "사이비"(2013년), "서울역"(2016년) 등의 작품을 만든 감독이다. 그의 애니메이션은 미국 디즈니 또는 일본 지브리 애니메이션과는 차이가 많다. 사회적 주제가 많고 그 동안 드러나지 않았던 소외되었던 직업이나 인물을 중심으로 이야기가 구성된다는 점이 가장 큰 차이다. 게다가 사이사이 좀비들이 출연한다는 점이 연상호 감독 애니메이션의 특성이다.

연상호 감독은 독립 영화 또는 장르 이미지가 강한 편이며 감독이 주장하는 소재나 주제가 비교적 명확하다. 연상호 감독의 작품들은 그만의 색깔이나 주제의식이 분명하기 때문이다. 다만, 그의 작품들을 살펴보면 작품의 구성이나 결말이 다소 쉽게 알 수 있는 구성을 갖고 있다. 그의 영화 주제나 소재가 일관되게 연계되기 때문이다. 연상호 감독의 작품은 일반 상업영화나 애니메이션 작품들이 다루지 않았던 주제들이 적지 않다. 애니메이션 "돼지의 왕"에서는 학교 폭력이, 애니메이션 "사이비"에서는 종교 문제가, 영화 "염력"은 재개발 문제를 다루고 있다. 영화 "부산행"이나 애니메이션 "서울역"에서는 좀비가 핵심 캐릭터로 등장하기도 한다.

영화 "염력"은 초능력을 갖고 있는 아버지와 딸이 재개발 철거민 공동체 일원으로 재력과 공권력이라는 개발 세력에 저항하는 코믹-사회물이다. 그 동안 보기 어려웠던 영화 장르다. 공간 배경은 도시 재건축이 추진되는 재래 전통시장이다. 주인공의 치킨집이 철거대상이 되면서 딸과 아버지가 합심해 공권력과 재건축 기업에 저항한다는 내용이다. 그런데 아버지는 약수를 마시고 갑자기 물건을 이동하거나 날라 다닐 수 있는 초능력을 얻게 되었다. 그가 가진 초능력을 통해 재개발 문제를 슈퍼맨처럼 해결한다는 코믹 설정이다. 연상호 감독이 그 동안 주력해왔던 좀비 영화에서 이탈해 사회적 주제를 초현실적인 힘과 연결하려는 시도가 나타난다. 그럼에도 영화 "염력"의 핵심 키워드는 부성애다.

영화 "염력"은 기존 재래시장이라는 일상 공간을 지키고 복원하려는 시도에 집중한다. 특정 지역 재개발이라는 외부적 압력에 맞서 주인공들은 자신의 일터이자 생활공간을 지키는 것에 몰입한다. 이는 연상호 감독이 일상 공간의 외부적 붕괴에 대해 갖고 있던 두 가지 탈출구 중의 하나다. 연상호 감독의 애니메이션에 등장하고 있는 것처럼 좀비들에 의해 일상 공간이 황폐해질 때에는 이동 수단을 타고 기존 공간을 탈출하는 것이 궁극적 목표다. 반면에, 영화 "염력"에서는 자본이나 국가 권력으로 재개발이 이루어지더라도 이에 저항하고 가족의 일터를 지키는 것에 더 큰 가치를 부여하기도 한다.

연상호 감독의 영화에 나타난 외부적인 변화 요인은 좀비라는 가상적 주체 그리고 자본의 논리와 공권력의 지원으로 요약해 볼 수 있다. 이 같은 외부 세력이 기존의 전통적인 공동체를 구조적으로 바꿀 수 있는 힘이라는 시각이다.

우선, 좀비에 대해 살펴보도록 하자. 연상호 감독이 연출했던 영화 작품들에 포함된 키워드는 분명하게 드러나지 않는 주연, 다시 말해 좀비가 등장한다. 관객의 호기심을 자극할만한 소재다. 그러나 연상호 감독의 좀비 접근 방식은 다른 영화와는 다르다. 그의 좀비 영화는 복잡한 사회 구조에서 좀비가 인간과 다양한 방식으로 연결되는 지점을 살펴본다. 따라서 그의 영화에서 나타나는 공포는 좀비 자체가 아니라 사회와 좀비, 두 가지 구조로부터 소외받거나 배제되는 사람들로부터 시작된다.

연상호 감독 애니메이션이나 또는 영화에는 우리 일상 환경을 바꾸는 요인으로 자본의 논리와 이를 뒷받침하는 공권력에 대한 시각들이 반영된다. 소유자의 소유물 중 가치 증식이 가장 빠르고 넓게 이루어지는 것 중의 하나가 토지와 건물이다. 건물은 시간이 지나면 감각 상각이 빠르게 이루어진다. 반면에 토지의 희소가치는 더욱 증가하게 된다. 건물의 경제 가치가 줄어들게 되면, 건물이나 토지 소유자는 재개발이나 재건축을 통해 자산 가치를 높이려는 의도가 생겨난다.

이것이 바로 우리 생활공간의 변화를 야기하는 가장 중요한 힘 중의 하나라고 생각하는 것이다. 그리고 자본이 증식하려는 논리를 정당화하는 시스템이 국가의 공권력이다. 공권력은 소유주의 자산 가치 변경과 이에 따른 가치 증대를 정당화하기 위한 시스템이다. 자본의 논리와 공권력 모두 공존하는 관계라는 것이다.

반면에 소유자의 건물을 임대해서 수익을 창출하던 세입자들은 자신들이 투자한 금액에 비해 보상금액이나 정도가 충분하지 않다고 인식하면 재개발이나 재건축과 같은 도시 정비 사업에 반대하게 된다. 가령, 권리금이나 시설투자비, 기타 비용 등의 투자금액 대비 보상액 비율이 매우 낮을 때 소유주와 세입자 간 갈등이 시작된다. 세입자 보상비가 투자비에 비해 과도하게 적다고 인식할 때 재개발 추진에 찬성인 소유자와 세입자 시각에 차이가 더 벌어지게 된다.

영화 "염력"의 공간 구성을 살펴보면, 영화 속 중심이 되는 공간은 남평 상가이다. 세트로 만들어진 공간으로 치킨 집 역시 이 상가 공간 내에 포함된 곳이다. 상가 철거민들과 주인공 루미, 그리고 석헌이 용역 깡패와 경찰의 강제 진압에 저항하고 상가를 지키는 공간이다. 특히 남평 상가에는 상가 내부와 길거리에 바리케이드가 설치된다. 국내 영화에서는 보기 힘든 공간 구성이다. 결론적으로 영화 속 모든 이야기의 중심이 남평 상가를 중심으로 구조화되어 있다.

<표 8> 영화 "염력" 주요 공간 구성

공간	등장인물	이야기	특성
남평상가 & 치킨집(맴맴치킨)	사장(루미) 엄마(권정희)	TV프로그램 청년천왕 대박치킨집 소개	영등포구 신길동 치킨집으로 추정
	루미/ 철거용역	치킨집 철거 시도	치킨집 세트 구성
	주인공, 철거민, 경찰	경찰의 진압과 석헌의 반격	남평 상가 중심 엔딩 장면 하이라이트
병원	엄마/루미	수술 장면	
약수터	석헌	약수터에서 염력을 얻게 됨	서울시 개포동 대모산 약수터로 추정
은행 건물	석헌/ 정씨 누님	상가 경비원으로 일하는 석헌이 은행에서 가져온 커피, 화장지 등을 이야기함	일반 건물
편의점 앞 테이블	석헌/ 편의점 주인	술을 마시다가 염력을 처음으로 발휘함	마포구 편의점으로 추정
석헌의 집	석헌	루미와 통화함	허름한 집
		집에서 염력 테스트	허름한 집
장례식장	루미/철거민 /석헌/민사장 /민사장 부하들/정현	루미와 민사장 간의 갈등 석헌과 정현의 만남	갈등의 고조
망가진 치킨집 /남평상가	석헌/정현	정현은 석헌에게 세입자들 권리금 받기 위한 투쟁으로 설명함 정현을 오해하는 석헌	세트 구성
나이트클럽	석헌/김사장	마술쇼 소개	천안 소재 나이트클럽으로 추정

공간	등장인물	이야기	특성
식당	홍검사 /석헌/루미	증거가 필요하다는 대화	사람 많은 밀집도 높은 식당
남평상가 앞 바리케이드	철거민 /용역들	진압시도 석헌의 참여	남평상가 내부와 외부에 바리케이드 구축
경찰서	철거민 /민사장	석헌의 초능력 행사에 항의하는 민사장과 부하들	서울 관악경찰서로 추정
민사장 사무실	민사장 /부하들	코믹한 실랑이	
프랑스 레스토랑	민사장 /홍상무/ 김비서/ 홍상무 부하	홍상무가 부하들을 시켜 민사장 폭력 행사함	여의도 앞 강변이 보이는 고급 식당
면회실	홍상무 /석헌	홍상무가 석헌과 협상 제안	폐쇄된 면회실
새로운 치킨집 (초능력 치킨집)	주인공, 상인들	영화 해피엔딩 장면 날라 다니는 맥주잔들	만선호프로 추정

영화 속 공간 구성은 이야기 전개 과정에 따라 부분적으로 이루어진다. 병원이나 약수터, 은행 건물, 편의점 앞 테이블, 석헌의 집, 나이트클럽, 장례식장, 경찰서 및 면회실, 민사장 사무실, 프랑스 레스토랑, 새로운 치킨 집 등이 다양하게 구성되어 있다.

그러나 영화 "염력"에서 살펴봐야 할 핵심 공간은 석헌이 도심 공간을 날아다니면서 보이는 도시 자체다. 마치 한국 히어로와 같은 모습으로 재개발이 추진되는 남평 상가의 철거민들의 희망이 된 석현이 여기저기 상공을 가로지르며 날아다니는 모습이 등장한다. 구체적으로 강남 테헤란로 배경으로 디지털 캐릭터를 합성한 CG 영상이다. 영화 속 도시 공간은 구체적으로 표현되고 있지는 않지만 서울 강남의 도심 공간으로 추정된다. 서울이라는 거대 도시 공간에서 일어나는 재개발과 철거민들의 저항을 도시의 상공을 중심으로 재구성해보는 시도는 신선해 보인다.

이와 같이 영화 "염력"에서 나타난 주요 공간별 특성을 살펴보면 다음과 같다.

(1) 남평 상가(가상)

영화 "염력"에서 주인공 루미로 등장하는 배우 심은경이 치킨 집을 운영하는 곳이 남평 상가이다. 남평 상가는 가상 시장이다. 우리나라에 남평이라는 이름은 전남 나주 지역에 있는 시장 외에는 찾아보기가 어렵다. 나주의 남평 시장과 영화 속 남평 상가를 연결하는 것은 큰 의미가 없다. 실제의 장소성을 살려 영화의 현실성을 높이는 일이 영화 "염력"에서는 중요하지 않기 때문이다. 따라서 시장의 분위기만 잘 구성하면 되는 공간일 뿐이다.

영화 "염력"의 배경인 남평 상가가 가상의 시장이 되었든 서울이나 나주의 시장이 되었든 그 위치가 의미를 갖고 있는 것은 아니기 때문이다. 그저 배우가 시장에서 치킨 집을 운영하다가 그 치킨 집이 재개발 대상으로 지정되어 철거 위기에 직면해 있다는 이야기 구성만 있어도 충분하다. 영화 "염력"이라는 작품 자체가 허구를 바탕으로 초능력을 다루는 판타지 영화 장르물이기 때문이다. 영화 관객들은 남평 상가가 갖고 있는 실재성이나 장소적 속성보다는 이야기가 전개되는 공간 정도로 인식할 것이다.

남평 상가라는 이름은 오래되고 낡은 건물을 상징하는 의미로 기존 이름들과 중복되지 않는 쪽으로 작명된 것으로 보인다. 일견 남평화 시장의 음률을 따라 만든 시장일수도 있다. 영화 "염력"에서 남평 상가는 역사가 오래되었을 뿐만 아니라 재개발이 임박해 있는 시장으로써의 의미가 크다. 따라서 언제라도 철거되거나 해체될 가능성이 높은 시장의 공간 구조가 필요했을 것이다. 실제로 남평 시장은 춘천 봄내 영화촬영소에서 세트로 제작된 가상 시장이다.

남평 상가가 다루는 재개발 철거와 이를 추진하려는 용역 깡패와 대기업, 그리고 이에 대항하는 시장 사람들의 거친 투쟁과 반발이라는 구조는 마치 2009년 벌어진 용산참사에서 모티브를 가져온 것으로도 보인다. 평범한 시장 사람들이 악질적인 대기업의 기획으로 용역 깡패들과 공권력을 바탕으로 시장을 밀어버리려는 시도에 대응한다는 이야기로 구성되기 때문이다. 남평 상가는 마치 용산참사가 일어난 남일당 건물을 떠올리게도 한다. 용산 참사 당시에 재개발에 항의하던 철거민들과 공권력이 직접 충돌한 지점이다.

용산 참사 시점에 남일당 건물 옥상에서 철거민과 공권력 간 갈등이 최고조에 이른 것과 같이 영화 "염력"에서도 건물 옥상이 양자 간 갈등을 극대화하는 공간으로 등장한다. 그러나 현실과 다르게 이 영화에서는 초능력을 갖게 된 아저씨의 맹활약으로 갈등이 해결되고 마무리된다. 영화 "염력"은 초능력과 재개발이라는 현실의 무거운 숙제이자 비현실적인 이야기가 결합된 작품이다. 그 과정에서 가상의 남평 상가는 영세민들이 지켜야 할 삶의 공간이다.

(2) 치킨 집

오프닝 장면에 나타난 낡은 남평 상가 한복판에 잘 나가는 맴맴 청양고추치킨 집이 등장한다. 주인공 신루미의 치킨 집이다. 레전드 맛집으로 미디어를 통해 대박 집으로도 소개된 곳이다. 그러나 남평 상가는 태산건설이 추진하는 도시 재개발 지역으로 지정되면서 이곳은 하루아침에 철거 대상으로 바뀐다. 삶의 일터가 제대로 보상받지도 못하고 내몰리는 투쟁의 공간으로 바뀐 셈이다.

신루미의 치킨 집은 건설사 깡패 용역들이 노리는 재개발 대상지이자 재개발 철거에 대응하는 바리케이드 역할을 맡는다. 그리고 엔딩 장면에서는 다시 새로운 치킨 집으로 바뀌어 염력을 활용해 맥주를 고객들에게 서빙하는 신비한 공간으로 탈바꿈한다. 주인공 부녀가 생업으로 일하는 치킨 집이 영화의 시작과 전개, 그리고 마무리 장면에 이르기까지 적지 않은 의미가 있다.

영화 "염력"에서 중요한 공간 중의 하나로 치킨 집을 선택한 것은 국내 자영업자 중에 가장 많은 가게들이 있기 때문으로 보인다. 영화에서 가장 서민적인 식당으로 치킨 집을 선택하는 것은 자연스럽고 보편적인 판단으로 보인다. 한국에서의 치킨 집은 서민의 가게이며 서민들이 선호하는 메뉴를 판매하기 때문이다.

서민들의 즐거움이 있는 치킨 집은 누구라도 개업하기 쉬워 전국에

수많은 치킨 집들이 영업 중이다. 영화 "염력"에서도 남평 상가 재개발을 다룬 만큼 전통 시장에서 가장 활력이 넘치면서 일반인들이 쉽게 접근할 수 있는 가게는 치킨집이다. 프라이드나 양념 치킨에 맥주 한 잔이라는 페어링은 꽤나 매력적인 서민들의 즐거움이다.

극장 관객 1천 6백만 명을 기록했던 영화 "극한직업"에서도 수원 치킨집이 중심 공간으로 등장한다. 영화 "극한직업"에서는 마약반 형사들이 위장 수사를 위한 공간으로 수원왕갈비통닭이라는 치킨 집을 설립, 운영한다. 실제 촬영지는 인천 동구 배다리 팬시점을 세트로 만든 것이다. 영화에서 등장하는 형사들이 치킨 집을 운영, 맛집으로 만든다는 구성은 뻔해 보인다. 그럼에도 치킨이 갖고 있는 매력이 관객들에게 잘 전달된 것으로 보인다.

영화 극한직업 주인공으로 등장한 류승룡은 영화 "염력"에서도 치킨 집을 운영했는데 OTT 드라마 "무빙"에서도 치킨집 주인으로 등장하고 있다. 류승룡의 치킨 유니버스라는 말이 만들어질 만큼 재미있는 연결 구성이다.

영화 속 치킨집 공간 구성은 다른 국가 영화들에서는 찾아보기 어려운 선택이다. 한국에서는 치킨집이 영세 자영업자의 상징적인 가치를 갖기 때문에 가능한 설정일 것이다. 고도의 기술이 요구되기 보다는 누구나 진입은 가능하지만 그 수가 너무 많아 소수 가게들만 수익성이 담보되는 일이 치킨 판매업이다. 치킨집은 가장 서민을 대표하는 식당 중의 하나로 영화에서도 더 빈번하게 핵심 영화 촬영 공간으로 활용될 것으로 보인다.

(3) 바리케이드

영화 "염력"에서 주인공 석헌은 남평 시장의 공간과 여기서 일하는 상인들을 지키기 위해 바리케이드를 쌓는다. 석헌은 바리케이드를 쌓기 위해 자동차를 포함해 주위 동네 물건 등 잡동사니들을 초능력을 활용해 모은다. 초능력을 이용하는 목적은 정당하다. 딸인 루미를 포함해 시장 상인들을 깡패 용역이나 공권력으로부터 지키기 위한 것이다. 그러나 바리케이드는 경찰이 동원한 불도저로 산산이 부서지고 무너진다.

바리케이드는 양쪽으로 구분된 철거민과 용역 깡패 간 차단막이다. 이 같은 공간 차단은 영화 "부산행"이나 영화 "설국열차"에서도 시도된 설정이다. 영화 "부산행"에서는 좀비들을 막기 위해 KTX 열차 칸들의 입구를 막는다. 영화 "설국열차"에서는 열차 칸 마다 위계가 부여되어 열차 거주민들의 이동이 어렵다. 그러나 바리케이드이건 차단막이건 이 공간 차단이 무너진 이후에는 극도의 혼란과 갈등이 증폭된다는 점에서 공통적이다.

바리케이드는 프랑스 혁명의 시기에 공간을 차단하는 수단으로 등장했다. 대혁명 시기보다는 이후 혁명에서 빈번하게 바리케이드를 활용한 시가전이 있었다. 1830년 7월 혁명은 공화당원들의 무력 봉기로 인해 국왕이 바뀐 혁명이다. 파리 시내에 바리케이드가 설치되었고 공화당원들 및 국왕군과의 대립이 격화되었다. 그러나 혁명 이후 일반 시민들의 삶은 더욱 황폐화되고 물가는 올라가는 등 사회 불안 정도는 심화되었다.

바리케이드는 현실에서도 다양한 의미와 맥락이 있다. 대부분의 국가

들에서 정치적 격변기에는 도로 한복판에 바리케이드가 등장했다. 특히 경찰차로 시위 현장을 막는 차벽이나 컨테이너 박스를 2단으로까지 올려 차단벽을 만들기도 한다. 프랑스 혁명 시대 바리케이드나 영화에서 보던 바리케이드가 노동자나 철거민들의 공간 진입을 막거나 또는 시민들이 모여 시위를 벌이는 것을 막는 용도로 활용된 것이다.

연상호 감독의 작품 중에 바리케이드가 등장하는 작품은 애니메이션 "서울역" 그리고 영화 "염력"이다. 애니메이션 "서울역"에서는 좀비로부터 도망가려는 일반 시민들이 바리케이드를 치고 보호받기를 원한다. 그러나 경찰은 일반 시민들을 보호하기 보다는 이들을 좀비와 같은 대상물로 인식한다. 영화 "염력"에서는 철거민들이 자신들의 일상공간을 지키기 위해 시장 앞에 바리케이드 차단막을 쌓는다. 이들 바리케이드는 서로 다른 목적이 있다. 하나는 시민들을 막기 위해, 다른 하나는 시민들의 공간을 보호하기 위한 것이다. 바리케이드는 지킨다는 의미와 막는다는 의미가 동시에 포함된다.

영화 속 바리케이드 공간 설치물은 다양한 효과를 발휘할 수 있는 미장센이 될 수 있다. 바리케이드 이편과 저편은 완전한 적으로 구분될 수 있다. 바리케이드를 이용하면 아군과 적의 대립이나 갈등을 시각적으로 표현하기가 쉽다. 게다가 바리케이드를 쌓아 올리는 부분이나 과정도 극적 설정이 가능하다. 일상생활에 필요한 가재도구나 필수품들을 모아서 바리케이드를 만드는 것은 삶을 지키기 위한 최종 방어막이라는 의미를 부여한다. 이유야 무엇이든 간에 바리케이드가 무너지는 장면은 영화에서 가장 극적인 부분이 될 수 있다.

(4) 프렌치 레스토랑

영화에서 식당이라는 공간이 갖는 의미는 다양하다. 단순히 식사를 하는 공간일수도 있지만 사람들 간에 사랑이 시작되거나 또는 은밀하게 사적인 거래가 오고 가는 공간이기도 하다. 그러나 식당은 권력이나 위계의 힘을 드러내는 공간으로도 활용된다. 영화 “염력”에서도 마포 서경 8경에 속하는 용선빌딩이 등장한다. 이중 영화 촬영지는 8층 프렌치 레스토랑이다. 태산건설 홍상무가 용역 깡패 민사장을 식당으로 불러 재개발 추진을 독촉하고 폭력을 행사하는 공간이다.

한강이 바라다 보이는 프렌치 레스토랑이지만 그 안에서는 폭력과 음모가 넘치는 공간이다. 대기업과 용역 깡패 집단이 서로 공생하면서 재개발이나 재건축에 협력해야 한다는 원칙을 확인하는 공간이기도 하다. 영화 “염력”에서 재개발 사업을 추진하는 주체로 대기업 홍상무가 등장한다. 정유미 배우가 캐스팅되었다. 공감 능력이 전혀 없이 차가운 재개발 추진 사업자의 이미지를 맡았다. 공간적으로는 이를 뒷받침하기 위해 한강변 프렌치 레스토랑을 촬영지로 선택했던 것으로 보인다.

영화 “염력”에서 부티가 나는 프렌치 레스토랑의 건물이 등장하는 장면은 재개발이 한창 추진되고 있는 남평 상가와 대조적이다. 영화 “염력”에서 가장 중요한 공간은 재개발 추진으로 생활 터전을 빼앗길 우려가 높은 남평 상가와 인근 지역들이다. 이들 공간은 세월의 흔적이 느껴질 만큼 오래되고 퇴색된 곳이다. 게다가 재개발 깡패 용역이나 공권력 등이 재건축 집행을 위해 생활공간을 밀고 들어왔던 곳이다.

반면에 재개발 추진 대기업이나 용역 깡패들은 전망 좋고 맛 좋은 한강 레스토랑에서 회의를 진행한다. 공간의 대조를 통해 지키려는 자와 해체하려는 자의 심리가 반영된다. 전망 좋은 식사 공간은 권력을 갖고 있는 자들의 전유물이며 이들은 철거민들을 폭력적으로 진압해 자신들이 원하던 목적을 이루고 싶어 한다. 제작진들은 공간적 대조와 수직적 위계화를 통해 영화 촬영 공간을 비교하는 재미있는 선택을 했다.

6) 재개발 현장의 참사와 법정 공방: 소수의견

영화 "소수의견"은 도시 재개발이 이루어지는 공간에서 일어난 진압 경찰과 철거민의 충돌로 야기된 비극을 다룬 영화다. 영화 앞부분은 철거민을 진압하는 공권력을, 영화 중반부에는 비극의 진실을 놓고 법정 공방이 이야기를 이끌어간다.

이 영화에 등장하는 철거민 투쟁이나 공권력의 진압 작전은 마치 2009년 용산참사와 유사하다. 관객들은 영화 "소수의견"이 용산참사를 떠올리는 영화라는 점에 공감한다. 영화 "소수의견"은 용산참사를 약간씩 비틀어내는 각본으로 현실과 허구가 오버랩 되는 장면들이 적지 않다.

용산참사는 2009년 1월 20일 용산 재개발 4구역 보상 대책에 반발했던 철거민 그리고 전국철거민연합회 회원들과 경찰이 대치하던 중 벌어진 참사이다. 용산구 한강로 2가 남일당 건물 옥상에서 화재가 발생해 6명이 사망하고 24명이 부상당했다. 이 참사 원인을 비롯해 책임자 규명 등을 놓고 법적 공방이나 논의들이 한동안 지속되었다. 용산 참사는 우리나라 재개발 또는 재건축으로 야기된 문제점들이 모두 응축된 사회적 참사로 기록되고 있다.

용산참사는 뉴타운 사업과 연계된다. 뉴타운 사업은 내 집 마련이라는 욕망의 구체적인 공간이다. 그러나 영화 "소수의견"에 드러난 욕망은 내 집 마련을 위한 일반인이 아니라 재정비촉진지구의 재개발을 통해 수익을 창출하려는 건설 및 시행사, 그리고 이들에게 편의를 봐주는 권력 집단, 그리고 이에 저항하는 철거민들의 갈등으로 집약된다. 단순히 내 집 마련을 원하는 사람과 나의 거주 공간을 지키려는 사람들 간의 갈등이 아니라 사회적 부의 연결고리가 촘촘히 재개발 공간에 밀집해 있다.

영화 "소수의견"은 사회적인 접근 방식을 선택한다. 이해 당사자들 간의 다툼이나 갈등이 아니라 결과에 대해 원인과 맥락을 설명하기 위해 이야기와 캐릭터를 설정한다. 영화가 겉으로는 재개발 강제 철거 현장에서 일어난 충돌과 참사를 다루지만 그 과정에 대한 탐색은 사회와 정치, 경제적 요인들이 중층적으로 얽혀 하나하나 그 이유와 원인을 살펴보는 방식이다.

영화 등장인물들 역시 거대 로펌이 아니라 변두리 변호사와 일부 기자의 의협심이 하나로 마음을 모은다. 이들 주인공들은 주변부 인물들이다. 잘 나가는 변호사나 기자가 아님에도 이들은 진실을 알기 위해 서로 협력한다. 현실에서는 쉽게 보기 어려운 모습이다. 그럼에도 약자의 정의를 강조하는 방식으로 영화의 극적인 효과는 높아진다.

영화 "소수의견"이 다루는 한국 사회의 문제점은 도시 공간의 재개발이나 재건축에 집중된다. 근대화 이후 성장의 산물로 남겨진 구축 건물들에 대한 재건축이나 재개발이 의미하는 것이 무엇인가를 질문하는 영화다. 근대화를 거친 우리나라가 1960년대와 1970년대 산업화 과정을 통해 성장하고 발전한 이후로 30여년의 시간이 지난 시점에 도시 재정비는 새로운 사회 쟁점으로 등장했다.

낡고 허물어질 것 같은 건물들을 철거하고 새롭고 모던한 건물이나 아파트를 다시 건설하는 일은 소유주와 지자체, 국가에는 도움이 되는 일이었다. 그러나 기존의 공간에 정주하고 일상을 살아가던 임대차 시민들은 도시 정비 사업이 자신의 공간을 싼 값에 빼앗기는 방식으로 인식하게 된다. 결과적으로 재건축이나 재개발은 필연적으로 사회 구성원들 간의 갈등을 내재하고 있는 과정이다.

영화 “소수의견”은 영화 속에 다양한 갈등이나 시스템의 약점들을 투영한다. 용산참사의 사건이 영화의 모티브로 활용된다. 다만, 영화에 등장하는 주인공들의 구성이나 이야기 전개는 실제와는 많이 다르다. 영화 “소수의견”의 원작을 바탕으로 영화 모티브는 용산참사를 활용했지만 영화에서 드러난 이야기 구성은 허구다. 영화 “소수의견”은 2010년 출간된 손아람 작가 소설 “소수의견”을 각색해 만든 것이다. 소설 “소수의견”이 출간된 시점은 용산참사가 일어난 지 1년 만의 일이다.

영화 “소수의견”은 사회적 약자, 그리고 전문 서비스업에서 주변부에 머무르고 있는 조력자들의 결합이 기존의 권력 구조에서 어떻게 대응해야 하는 가를 설명하는 작품이다. 철거민이라는 약자들이 재개발에 저항하는 방식은 재개발 강제 철거 현장에서 몸으로 막는 방식 외에는 해결이 어렵다. 몸으로 저항하는 데에 한계를 느끼게 되는 철거민들은 쇠파이프나 화염병 등 불법적인 수단으로 저항 수준을 높이게 되고 이는 곧 법률적 심판의 영역으로 진입하게 된다.

영화 “소수의견”에서 나타난 공간적 구성은 단순하다. 재개발 강제 철거가 진행되는 공간과 이에 대한 사법적 판단이 이루어지는 법정이 핵심이다. 이 영화에서는 철거 과정에서 나타난 참사의 원인을 다루지는 않는다. 오히려 그 결과를 설명하고 과정에서 나타난 다양한 인물과 힘의 영향력을 다룬다. 이 영화는 보조적으로 언론사나 변호사 사무실, 검찰청, 구치소 등의 공간들을 활용한다.

영화 “소수의견”의 공간 구성이 다른 영화와 크게 다른 점이 있다.

세트나 익명의 공간을 활용해 공간적 의미를 살리는 방식이 아니라 대부분 실제 현장이나 장소들을 활용했다. 영화에서 가장 중요한 공간은 사건이 벌어진 재개발 현장이다. 영화 속에서는 북아현동 재개발 현장이 등장하지만 실제로는 옥수동 재개발 현장에서 철거 과정이 촬영된 것으로 알려진다. 세트를 만들기보다는 실제로 철거가 이루어지는 공간을 찾아내 주요 장면들을 촬영한 것이다.

이외에도 영화 "소수의견"에서 중요한 공간은 법과 관련된 공간이 많다. 법정에서부터 법원 사무실, 검찰청, 변호사 사무실, 경찰청 등 다양한 사법 관련 공간들이 실제 모습 그대로 등장한다. 뿐만 아니라 주물가게나 호텔 등도 관객들이 인식할만한 공간과 장소에 있는 것들이 많다. 영화를 촬영하는 공간을 선택하는 과정에서 실제로 존재하는 공간을 찾아 영화의 이야기와 결합하는 일은 그 만큼 노력이 많이 투입되는 힘든 일이다. 영화 "소수의견"은 실제의 공간을 활용했다는 점, 그리고 법과 관련된 다양한 인물들과 공간들을 잘 조합하는 뛰어난 구성력을 보여주었다.

영화 "소수의견"에서 나타난 주요 공간별 특성을 살펴보면 다음과 같다.

<표 9> 영화 "소수의견" 주요 공간 구성

공간	등장인물	이야기	특성
재개발 공사장	소년	재개발 철거 현장에 박재호 아들 등장	북아현동 재개발 철거 현장 (실제는 옥수동 재개발 철거 현장)
	철거민, 경찰, 철거용역	철거민들은 경찰 및 용역과 대치와 진압 작전 진행	
	기자	주위에 취재기자들 다수	
	박재호 등	사건이 벌어진 현장	
	수경/진원	둘이 현장 재점검	
	박재호 등	사건 실체가 드러남	
	진원	재개발 현장 철거 재가동	
탁구장	진원/대석	짜장면 먹으면서 대화	실제 탁구장이나 확인 불가
변호사 사무실	진원/대석/수경	광평법무법인에서 국선 전담변호사에게 사건 부탁	실제 여부 확인 불가
		재정신청 논의	
		2인 변호사 - 기자 국민참여재판 논의	
구치소 접견실	진원/박재호	진원 변호사 박재호와 면담	실제 구치소 활용으로 추정
	진원/김수만	김수만 무죄 주장	
검찰청	홍검사 등 검사 3인	검사 3인들 사브작 사브작 가자라는 말	실제 여부 확인 불가
		홍검사 송치 자료 열람 거부	
		홍검사와 변호사 대화	
		검사 3인 재정결정 논의	
서울지방 경찰청	서울지방 경찰청장/기자	기자브리핑	건물 겉모습은 실제와 동일
지방법원 야외 공간	진원/수경	진원/수경 대화	실제 여부 확인 불가
	진원/대석	재판 결과를 기다리며 변호사 2인 대화	
광화문 노상 카페	수경/진원	사건 의미에 대해 대화 진행함	실제 광화문 거리에서 촬영

공간	등장인물	이야기	특성
호텔	야당 국회의원 박경철/ 수경/진원	공조를 논의함	실제 호텔에서 촬영한 것으로 추정
언론사	부장/수경	담당 부장과 같이 청와대 압력 논의	언론사 언급 정도
신아주물	경찰 아버지	인터뷰 요청 그러나 거절	실제 가게가 있는 것으로 추정
법원 및 법정	법정	재정결정 심리	주요 촬영지는 실제 법원에서 진행
	사무실	국민참여재판 논의 판사, 검사, 변호사	
	사무실	국민참여재판 증인신청 논의	
	법정	법원 심리	
	법정	박재호에 대해 배심원은 정당방위 인정, 재판부는 부정, 징역 3년형 선고	
술집	진원/대석/수경	음주 장면	일반 술집 공간
법원 앞길	홍변/윤변	국가를 위한 희생 및 봉사에 대한 논쟁	실제 법원 앞 공간은 아닌 것으로 추정

(1) 재개발 공간: 북아현동 뉴타운

영화 "소수의견"은 용산참사를 모티브로 만들어진 영화지만 영화 속 배경은 용산이 아니다. 영화에서 그려지는 재개발 공간은 서대문구 북아현동 뉴타운 재개발 철거 현장이다. 현실과 영화 공간은 달라졌지만 재개발 철거 현장이라는 공간의 본질은 달라지지 않았다. 남일당이나 용산의 재개발 현장이라는 장소성이 배제된다 하더라도 공간을 구성하는 등장인물들이나 과정이 유사성을 갖기 때문이다.

영화 “소수의견”에서 제작진이 서대문 북아현동 재개발 철거 공간을 핵심 공간으로 선택한 이유는 분명하지 않다. 다만, 당시 서대문구의 지역 특성이 반영된 것으로 추정해 볼 수 있다. 서대문구는 젊음의 도시이자 쇠락해가는 오래된 도시가 공존하는 양면성이 있었다. 한 신문 기사에 따르면, 2007년을 기준으로 서대문의 이미지를 극과 극으로 표현했다. 서대문구는 젊음과 대학생들이 모여 있는 신촌 대학가가 있는 반면에 개발이 절실한 낙후 지역이 공존하는 곳[4]이라는 점이다. 주요 대학들이 모여 있는 활기찬 이미지 이면에 재개발을 통해 낙후 지역을 뉴타운 공간으로 만들기 위한 욕망이 공존하는 곳으로 북아현동을 선택했을 가능성이 없지는 않았을 것이다.

2000년대 이후 뉴타운 사업은 서울의 지형이나 판도를 바꿀만한 중요한 전환점이었다. 뉴타운 사업은 구도심 개발을 위한 도시재정비 촉진을 위한 특별법에 따른 재정비 촉진사업이다. 뉴타운이라는 이름도 도시재정비촉진지구를 의미한다. 구도심을 신도시개발지역으로 탈바꿈시키는 뉴타운 사업을 통해 수많은 지역이 사업 구역으로 지정되었다. 뉴타운 사업은 서울의 낙후된 지역의 재개발을 통해 생활수준을 높일 수 있을 것이라는 명분과 함께 시행 중에 여러 가지 문제점들을 야기하기도 했다.

북아현동 뉴타운은 2005년 3차 뉴타운 사업에서 지정되었다. 2011년부터 북아현 뉴타운 1-3구역 재개발 철거가 시작되었다. 역설적으로 영화 “소수의견”이 촬영된 곳은 옥수동 재개발 현장이었다. 용산참사가 일

---

4) 서울신문, 2007년 2월 2일자.

어난 용산의 공간을 영화에서는 서대문구 북아현동 재개발 현장으로 바꿨지만 촬영 현장은 옥수동이다. 옥수동은 한석규가 주인공으로 등장했던 드라마 "서울의 달"이 촬영된 곳이기도 하며 한편으로 영화 "칠수와 만수"에서 만수의 집이 위치해 있는 곳이 옥수동이다. 옥수동은 서울에서 남은 달동네로 그 상징성이 컸다. 그럼에도 2009년을 전후해 빠르게 재개발 사업이 이루어진 곳이다.

옥수동 재개발 지역은 한강 조망이 보이는 입지 이점과 달동네였다. 지리적으로는 산비탈 지대였다. 영화 속에서는 도시 재개발이 이루어지는 공사 현장에 교회가 있다는 점이 인상적이었다. 이 교회는 오랫동안 옥수동에 있었던 실제 교회로 알려진다. 영화 후반부에 등장하는 교회 철거 장면이나 교회 공간에서 폭력이 일어나는 장면 등은 실제로 옥수동 재개발 현장에서 철거가 이루어지는 시점을 기다려 촬영된 것이다.

영화 "소수의견"이 실제로 재개발 철거가 이루어지는 옥수동 공간에서 촬영된 것은 현실성을 높이기 위한 노력을 의미한다. 재개발 강제 철거 현장의 생생함을 높이려는 의도로 촬영은 다큐멘터리 방식으로 이루어졌다. 세트를 만들어 그곳에서 도시 재개발이 이루어지는 장면을 촬영한 것이 아니라 실제로 재개발 철거가 이루어지는 곳을 섭외해 시점에 맞게 현장을 촬영한 것이다. 이 같은 시도가 갖는 노력은 인정되어야 할 것이다.

(2) 법정

법정은 영화나 드라마에서 빈번하게 이용하는 공간 중의 하나다. 법정은 판사와 검사, 변호사, 그리고 피고와 원고, 증인이 참여하는 법률 심판과 해석이 이루어지는 전쟁터다. 각자의 역할은 잘 규정되어 있으며 논리와 사실에 근거해 재판부가 심판을 내린다. 법의 심판은 사회적으로 중요하기 때문에 특정 사회가 내재하고 있는 쟁점들을 해결하고 마무리할 수 있는 공간이다. 게다가 다양한 목소리들이 참여하고 의견을 표현하는 담론의 공간이기도 하다.

법정이라는 공간은 법의 의미와 적용에 대해 판단과 평가가 이루어지는 공간이다. 법정 공간 내 소통과 결정은 말과 글에 의해 판단이 이루어진다. 각각의 주장에 대한 법률적 평가와 판단은 검사의 주장, 변호사의 반론, 판사의 결정으로 마무리된다. 이 말과 글의 성찬에서 승자와 패자가 결정되는 법정은 마치 로마 시대의 원형경기장과 같다. 법률적으로 승자가 결정된다.

법정의 결정은 사회적 영향력이 크다. 법정의 결정은 사회 구성원들 모두가 참여하는 의사결정과 같다. 사회 여론은 반대로 법정의 의사결정에 다양한 방식으로 영향을 미칠 수도 있다. 법정이라는 작은 공간이 갖고 있는 의미는 그 만큼 크다. 법률적 심판이나 결정이 사회의 여론과 유사성이 있다. 법의 심판이나 결정이 일반 여론과 같을 때도 많지만 그렇지 않을 때도 적지 않다. 현실의 여론과 법정의 결정이 불일치하거나 또는 그 간극이 다소 넓게 펼쳐질 때 사회적 안정성은 줄어들 가능성이 있다.

최근 법정 영화는 드라마와 함께 하나의 장르로 정착할 만큼 그 영향력이나 제작 빈도가 증가하는 추세이다. 법정이 핵심 공간이 되는 영화나 드라마가 기존에 비해 증가했다. 같은 법정 영화이지만 그 특성들은 영화마다 다르다. 사회적으로 논쟁 중인 쟁점을 중심으로 법정 토론이나 논쟁을 연결하는 사회적 주제의 영화가 있을 수 있다. 한편 피고인 또는 원고의 시각을 반영하는 시각 중심의 법정 영화도 있다. 최근에는 변호사와 변호사들이 속해 있는 로펌을 중심으로 법정 영화가 만들어지는 트렌드가 나타나기도 한다.

법정 영화의 변화는 다른 사법 제도 변화와 연계된다. 2008년 1월부터 국민의 형사재판 참여에 관한 법률 시행으로 인해 만들어진 국민참여재판이 대표적이다. 이 제도가 도입된 이후로 법정 영화의 흐름은 바뀌기 시작했다. 국내 최초 국민참여재판이 열린 곳은 대구지법이다. 국민참여재판은 1심 형사사건으로만 제한된다. 배심원의 평결은 판사에게 의견 제시 정도로 이루어진다. 다만 판사가 배심원의 평결과 다른 재판 결과를 결정할 때에는 그 이유를 설명해야 한다.

영화 "소수의견"에서도 국민배심제의 도입으로 극의 흐름이나 집중도가 높아졌다. 그러나 극중 최종 판사의 판결과 국민배심제의 판결은 달랐다. 국민배심제는 무죄의 의견을, 반면에 판사는 유죄의 의견을 갖고 있었다. 이 지점이 영화에서 가장 핵심적인 부분이다. 다수의 국민배심원들이 무죄 의견을 갖고 있음에도 판사의 소수 의견이 실제로 법적 효력이 있었다.

국내 법정 영화들을 살펴보면 그 수나 다양성이 큰 편이다. 2013년 개봉한 영화 "변호인"은 법정 영화중에 상업적으로 흥행한 영화다. 1980년대 초반 부산을 중심으로 부림 사건을 모티브로 제작된 영화다. 영화에서 법정 공간이 차지하는 비율은 낮지만 그 상징성은 컸다. 영화 변호인이 실제로 촬영된 곳은 대전지방법원으로 알려진다.

2011년 극장에서 상영된 영화 "도가니" 역시 청각장애 특수학교에서 벌어진 성폭력 문제를 직접적으로 다룬 사회고발 영화다. 청각장애 특수학교 교장, 행정실장, 교사 등이 학생들에게 가한 성폭력 행위에 대한 사법적 판단은 법정을 통해 진행되었다. 영화 자막에 나타난 법원은 대전지방법원이다.

이 영화에서 법정은 공정하고 정당한 판결이 내려지는 공간이 아니라 판사와 검사, 변호사가 서로의 이익을 중심으로 얽혀 부당한 판결이 내려지는 곳으로 등장하기도 했다. 전관예우와 거대 로펌으로의 이직 권유 등 상식에 반하는 판결 가능성을 보여준 영화라고 할 수 있다.

2012년에는 영화 "부러진 화살"이라는 영화가 개봉되었다. 전 대학교수의 석궁 테러사건을 모티브로 제작된 영화다. 이 영화는 실제 있었던 사건을 각색해 새로운 시각으로 해석한 법정 영화다. 이 영화에서의 법정은 구조나 기능적으로는 다른 법정 영화 속에서의 공간과 다를 바 없다. 다만, 큰 차이가 있는 부분이 있다. 피고인인 전 대학교수가 법정에서 제 할 말을 거리낌 없이 한다는 점이다. 법률 조항 적용 및 해석에 있어서 법률 전문가인 검사나 판사에게 너그러운 판단을 요구하는 것이 아니라 법 적용의 명확성이나 공정성을 요구하는 등 기존의 다른 영화에서는 살펴볼 수 없었던 피고인의 적극성이 나타났던 영화이다.

2017년 개봉된 영화 "재심"은 약촌 오거리 사건을 바탕으로 만들어진 영화다. 재심이라는 상징적 재판을 통해 실화를 바탕으로 영화가 만들어졌다. 실제 영화에서는 법정 장면은 분량이 극히 적다. 이 영화는 재심이라는 법적 서사를 최대한 활용한 영화이다. 영화 "소수의견"의 법정 장면 촬영은 세트가 아니라 실제 지방법원에서 이루어졌다. 배심원들이 참여했던 국민배심재판의 촬영지는 춘천지방법원 형사대법정 101호 법정이다. 101호 법정은 실제로 국민참여재판이 진행되는 공간으로 알려진다.

7) 신도시 추진 도시의 악인들: 아수라

아수라! 2016년 개봉했던 화제의 영화다. 악한 인간들의 연결고리들, 그리고 모든 악의 제거라는 두 마디로 설명이 가능한 영화다. 영화는 가상 도시인 안남시에서 일어나는 일들을 기록한다. 영화 속 주인공들인 시장, 검사, 검찰수사관, 경찰, 조폭, 마약환자 등 모두가 부패하거나 불법적인 일에 관여되는 인물들이다. 누가 더 악하고 그렇지 않을 뿐, 선은 사라지고 악이 목적이 되는 도시, 그곳이 이 영화의 핵심 공간 안남시다.

안남시는 광기의 도시다. 안남시는 거대 도시는 아니지만 서울 주변 도시로 자족적으로 성장해왔다. 그리고 재건축이나 재개발 등 신도시 개발을 통해 더욱 성장하려는 도시다. 필연적으로 도시의 재개발과 재건축을 추진하려는 권력의 의지, 그리고 이에 기생하는 욕망의 집단들이 웅크리는 공간이다.

도시 재개발을 통해 그 이익을 가져가려는 시장과 시의회, 그리고 이를 뒷받침하는 부패 경찰들과 조폭들, 불법적인 도시 재개발에 반대하지만 수단과 방법을 가리지 않는 악질적인 검사와 검찰 수사관들이 자신들을 위해 안남시라는 전쟁터에 참여한다. 자신들의 신념이나 가치관이 중요한 것이 아니다. 자신들의 이해에 따라 쉽게 자신의 길을 바꾼다. 그러나 결론은 단순하다.

영화 "아수라"는 가장 광기의 가장 근원이 인간 욕망이라는 것을 밝힌다. 돈이나 지위를 얻기 위해 그리고 축적하기 위해 시장은 시장이 아닌, 경찰은 경찰이 아닌, 검찰은 검찰이 아닌 행동에 익숙해지게 된다.

이들에게 정의나 윤리는 없다. 목표를 지연시키는 모든 것들은 힘으로 제압하려는 대상이다. 영화 "아수라"는 인간 욕망의 출발점을 도시 재개발로부터 살펴본다. 시간의 기억이 느슨해져 있는 서울 인근 도시를 밀어서 새로운 도시 공간으로 바꾸겠다는 안남시장 의도로부터 영화는 시작된다. 개발 이익의 배분은 다르다. 갖고 있는 자들의 수익은 더욱 커지겠지만 최종 수익의 대부분은 권력자로 집중될 가능성이 높다. 이 점이 영화 "아수라"의 메시지다.

영화 "아수라"는 느와르 장르 영화에 가깝다. 전체적으로 어둡고 칙칙한 분위기에 건물이나 공간 구성도 미로에 가깝거나 허름하다. 영화 소재 자체가 재개발을 다루는 만큼 기존 도심의 낡음을 촬영지로 선택할 필요가 있었을 것이다. 게다가 안남시 곳곳 후미진 뒷골목은 안남시가 빛보다는 어둠의 도시에 가깝다는 의미를 강조하게 된다. 영화의 이름만큼이나 안남시라는 공간은 악의 도시다. 그리고 영화 주인공들은 윤리나 선의 기준이 아니라 도시 개발을 통한 수익 확보라는 목표에 집착하는 악인들이다.

안남시는 마치 영화 "배트맨"에 등장하는 고담시와 같은 이미지로 영화 첫 부분에 상징적으로 등장한다. 안남시 대부분은 재개발 깃발이 휘날리며 안남시장을 비판하는 구호들로 가득하다. 다음 장면에서는 오래된 건물인 좌원상가 내부와 옥상이 나타나며, 이곳에서 부패한 경찰들 간의 다툼과 사건이 벌어진다. 청과물 시장에서는 안남시장 박성배의 뒷일을 처리하는 부패 형사 한도경이 작대기라는 마약 환자와 결탁해 불법으로 문제를 해결하려 한다.

<표 10> 영화 "아수라" 주요 공간 구성

공간	등장인물	이야기	특성
안남시	-	안남시 전경을 보여줌	고담시와 같이 음침하고 어두운 도시 재구성
청과물 시장	한도경/작대기	박성배의 뒷일을 처리하는 대가로 돈을 받는 한도경 형사와 작대기	낡고 오래된 시장의 음산한 분위기 구성
좌원상가 실내 및 옥상	한도경/작대기 /문선모 등	옥상 위 실랑이 끝에 형사반장 추락사	실제 서대문구 좌원상가 공간 활용
자동차 도로	한도경/외국인 마약 폭력조직	한도경이 권총을 빼앗기고 자동차 도로에서 외국인 마약 폭력조직과 액션 장면	이름 모를 도로 위에서 차량 추격전
사격 연습장	박성배/한도경 /조폭	박성배와 조폭 간 갈등	사격 연습을 하는 박성배와 진압되는 조폭 두목
병원	박성배/한도경	한도경 아내의 치료비를 미끼로 박성배 의존도 증가	병원 입원실 중심
검찰수사봉고 차량	검찰 수사진/ 한도경	차량에서 한도경 압박	이동수사가 가능한 봉고차량 등장
전통 시장 속 검찰 회의실	검찰 수사진/ 한도경	검찰의 한도경 압박 및 폭행	전통 시장 안에 검찰 회의실 구성
장례식장	박성배/한도경/ 문선모/김차인/ 도창학 등 모두	주인공 및 검찰, 조폭 집단들 간 살육 액션	실제 장례식장을 통해 엔딩 장면 촬영

영화 "아수라"에서는 자동차 도로에서의 결투 장면이나 사격연습장에서 박성배 시장과 조폭 두목 간의 싸움 등도 볼만한 장면으로 나타나고 있다. 악질 검사와 검찰 수사관들도 수사봉고차량 및 전통시장 속 회의실에서 불법적이고 잘못된 수사를 진행한다. 그리고 최종적으로 영화는 오랜 시간 장례식장을 중심으로 공간이 하나로 집중되는 구조가 드러난다. 이곳은 영화 주인공이라 할 수 있는 한도경, 문선모, 박성배, 김차인, 도창학을 비롯해 검찰 수사관들, 조폭들이 한데 섞여 서로를 살육하는 아수라의 공간이다.

영화 "아수라"는 영화 시작에서부터 엔딩에 이르기까지 독특한 촬영 방식을 드러내고 있다. 오프닝에서 안남시 전경을 보여주면서 이 공간이 불법과 부패의 공간이라는 것을 드러낸다. 다음으로는 어두운 시장에서 시장과 형사, 마약범들이 공조해 불법을 조장하는 일을 서슴지 않고 행하는 모습을 보여준다. 이후 비오는 밤에는 외국인 조폭들과 주인공 한도경의 한판 대결이 벌어지고 점차 골목길이나 찻길 등 공간이 좁혀지는 느낌이 들게 된다. 최종 엔딩 장면이 촬영된 장례식장은 외부 빛 하나 들어오지 않는 폐쇄된 공간이다. 좁고 어둡고 폐쇄된 공간을 통해 모든 악인들이 하나로 모여 끝장을 내는 아수라 공간이 완성된 것이다.

영화 "아수라"에서 나타난 주요 공간별 특성을 살펴보면 다음과 같다.

(1) 가상 도시, 안남시

영화 "아수라"에서 가장 중요한 공간은 가상 도시로 등장하는 안남시다. 안남시는 허구의 공간이지만 현실보다 더한 욕망과 부패, 폭력으로 가득한 도시 공간이다. 일반 영화에서 보듯이 특정 공간이 의미를 부여받고 영화를 이끌어가는 힘이 되기도 하지만 영화 "아수라"는 안남시라는 도시 자체가 전체 영화의 이야기를 끌어가고 강조하는 역할을 맡았다. 안남시라는 공간을 통해 그 주인공들이 움직이는 행동이나 심리 모두 욕망과 부패가 결합되고 갈등하는 공간이라는 것을 대략적으로 이해하고 영화에 몰입할 수 있다.

안남시라는 공간이 갖는 힘은 기존 도시가 갖고 있는 정체성을 결합했다는 것이다. 안남시는 안산시와 성남시를 결합한 가상의 도시다. 안남시는 서울 근교의 경기도 도시들을 결합해 최종적으로 안남시라는 이름을 만든 것으로 보인다.

우리나라의 역사가 그러하듯이 인접한 두 도시의 첫 글자를 따서 결합한 새로운 행정 구역은 흔한 편이다. 전주와 나주를 합한 전라도, 경주와 상주를 합한 경상도, 충주와 청주를 합한 충청도와 강릉과 원주를 합한 강원도 등등 그 수가 적지 않다. 게다가 군이나 면, 동 등 하위 행정 구역 차원에서 두 행정 구역을 결합하는 방식도 많다. 각각의 이름 중 한 글자를 결합해 새로운 도시를 만드는 일이다.

안남시는 완전히 새로운 도시 이름이기보다는 기존 도시 이미지들을 차용해 혼합해 만든 것이다. 그래서 안산시와 성남시가 결합된 도시 이미지를 갖게 된다. 안산시는 외국인 노동자들이 많이 거주하는 곳인 반면에 성남시는 재개발, 재건축이 진행되는 변화의 도시 공간이다. 두 도시를 연결해 안남시라는 새로운 공간을 만들었다. 영화 "아수라"가 재개발을 앞에 둔 도시, 가령 성남과 같은 재개발 수요가 많은 도시에 외국인 노동자들이 비교적 많은 가령 안산과 같은 다문화 도시를 결합한 것은 독특한 접근 방식이다. 그러나 주인공은 조폭보다 더한 안남시장, 이를 뒤쫓는 검사와 수사관들, 그리고 부패 경찰들이다.

안남시는 경기도 도시로 설정된 공간이다. 서울은 한국의 수도로 상징적 가치가 있다. 그러나 이미 서울은 메가시티로 재개발이나 재건축과 같은 도시 공간 구조의 변화가 일상화되어 있을 뿐만 아니라 임의로 악행을 일삼는 행정시장의 권력이 현실적으로 인정되기는 쉽지 않다. 따라서 이 영화에서처럼 서울 근교의 서울과 같은 메가시티를 바라는 욕망의 공간으로 안남시라는 가상공간이 만들어졌을 것으로 생각된다.

영화에서 가상도시를 만든 것은 만화와 영화로 제작된 배트맨 시리즈의 고담시 또는 영화 "블레이드 런너"에서 차용한 것으로 보인다. 고담시는 가장 부정부패가 심한 도시 공간이다. 고담시 역시 완벽하게 고립된 가상의 도시라기보다는 현실 뉴욕과 유사성이 높은 도시다. 부패한 권력 계층과 또 다른 공간에 거주하는 빈민들이 거주하는 오래된 도시의 비교가 영화를 느와르의 세계로 연결한다. 선과 악이 구분되지 않는 도시 공간 측면에서 영화 "씬 시티"와도 유사성이 있다. 그러나 감독의 이야기대로 영화 "씬 시티"의 공간 구조를 한국적 맥락에 적용하기는 쉽지 않았을 것이다. 표현미는 높지만 현실성이 낮았기 때문이다.

영화 "아수라"는 오히려 국내 영화 "짝패"와 유사성이 있다. 영화 "짝패"에서는 온양을 의미하는 온성이라는 가상도시가 등장한다. 영화 "짝패"는 영어 제목이 The City of Violence인데 반해 영화 "아수라"는 The City of Madness이다. 폭력의 도시와 광기의 도시라는 각각의 이름으로 도시는 욕망과 악을 다룬다. 게다가 두 영화 모두 주인공 직업이 형사라는 점, 주요 장면들이나 공간 구성도 유사성이 높다. 이들 영화들이 액션 장르에 가깝기 때문에 나타나는 특성일 수 있다.

이 영화는 안남시라는 부패하고 욕망에 가득한 도시 공간을 바탕으로 이야기를 이끌어 가고 있다. 안남시에서 권력을 갖고 있는 사람들은 각자의 욕망과 부패의 관계 속에서 폭력적 방식으로 문제를 해결하려는 원초적 등장인물들이다. 이 같은 인물들이 공감할 수 있는 목표가 바로 도시 재건축이나 재개발 사업이다. 공간을 바꿔 수익을 창출한다는 목표 의식이 반영된 것이다. 따라서 영화 "아수라"에서는 현대식 건물들이 많은 도시 공간이 아니라 40년 이상 된 낡고 쇠락한 건물과 당장이라도 허물어질 것 같은 재개발 공간이 필요했을 것이다.

(2) 좌원상가

영화 "아수라"에서는 궁금한 건물이 하나 등장한다. 서대문구 가좌동 좌원상가이다. 이 건물은 건물이 위치해 있는 위치로 볼 때 독특하다. 남가좌동 모래내 시장이 있던 자리에 1966년 완공된 건물이다. 지금이야 가재울 뉴타운 신도시가 들어서 오래 된 가좌동 공간은 보이지 않는다. 그러나 이 건물이 들어설 때에 가좌동의 가난한 동네였다. 사라호 태풍 이주민과 후암동 철거민들이 밀려 들어와 살던 곳이었다. 서대문구 자체가 강북 지역에서도 외진 지역이었는데 대학가인 신촌 지역을 제외하면 가좌동 지역은 발전이 더딘 곳이었다. 당시에는 비교적 살기 좋은 현대식 건물로 지어졌지만 왜 이 같은 건물을 비교적 발전이 더뎠던 가좌 지역에 건축했는지 모호하다.

좌원상가는 흔적을 찾아볼 수 없는 좌원산업주식회사가 건설한 주상

복합아파트이다. 좌원상가는 한국 최초로 건설된 주상복합아파트 건물이다. 공간 자체가 어둡고 복잡한 골목길로 구성된다. 좌원상가는 건축가 황두진의 말에 따르면, 4층 건물로 전면이 넓고 1층에는 3중 복도가 있는 특성이 있다.5)

좌원상가가 영화 촬영지로 매력적인 이유는 건물 구조의 특성 때문이다. 1층 복도 폭이 매우 넓고 양쪽으로 상가가 위치해 있다. 건물 3층과 4층은 일반인들이 거주하고 있다. 정면 부분의 폭이 넓어 가로와 세로의 비율이 거의 비슷하다. 뒤편으로 보면 정면에서 건물을 볼 때와는 완전히 다른 구조가 나타난다.

영화에서는 한도경 형사가 작대기에게 돈을 준 이후 이를 빼앗으려는 황반장이 싸우는 장면이 촬영된 곳이다. 대체로 밤에 촬영을 해서 그런지 어둡고 칙칙한 분위기이지만 건물 자체가 낡고 불안정해 보이는 느낌이 드는 곳이다. 게다가 액션 장면이 있는 공간은 건물 내부가 아니라 옥상이다. 주인공인 정우성의 옥상 장면으로도 잘 알려져 있는 곳이다. 영화 초반부에 옥상달빛의 느낌처럼 느와르의 핵심 장면이 등장한다. 영화 이야기 전개 과정에서 초기에 해당되는 장면이 촬영되었다. 이곳은 옥상 공간이 핵심이다. 옥상 뒤편으로 아파트가 보이며 재개발로 건설 중인 아파트들도 등장한다.

좌원상가는 영화 "무뢰한" 도입부 장면이 촬영된 공간이기도 하다. 두 영화는 공통점이 많다. 일단 영화 촬영지에서 공통점이 있다. 두 영화에서 좌원상가가 등장한다. 좌원상가는 영화 시작 부분에서 매우 중요한 공간적 의미가 있다. 영화 "아수라"에서 좌원상가는 영화의 갈등이 시작

5) https://www.seoul.co.kr/news/2016/08/30/20160830025006

되는 옥상 공간이 등장한다. 영화 "무뢰한"에서는 첫 도입부에서 고층건물을 배경으로 주인공 정재곤이 낡고 음침한 뒷골목을 오랫동안 걸어가는 장면이 나온다. 다음으로 두 영화는 같은 제작사가 만들었다. 범죄액션 장르로 특화된 사나이픽처스라는 제작사다. 뿐만 아니라, 두 영화에는 공통 배우가 있다 곽도원 배우다. 영화 "아수라"에서는 검사로, "무뢰한"에서는 형사로 등장한다. 직업은 다르지만 악인이라는 점은 공통점이다.

가좌동 좌원상가 건물이 영화 촬영지로 활용될 가능성은 줄어들고 있다. 좌원상가는 재난 및 붕괴 위험 가능성이 높은 안전 E등급 건물로 평가되었다. 이후, '도시재생 뉴딜' 사업으로 선정돼 2025년 지하 6층, 지상 34층 주상복합 건물로 바뀔 가능성이 높다. 영화와 같은 영화 공간으로 좌원상가 건물은 영화 속에서만 볼 수 있을 것이다.

(3) 전통시장

전통시장은 영화에서 자주 다루는 촬영지 중의 하나다. 시장 자체가 갖는 역동감과 여러 등장인물들, 그리고 친숙한 공간 등 다양성이 충분한 공간이다. 전통시장은 현대 시장과는 다르게 골목길이나 오래된 낡음이 공존하고 있어서 영화의 촬영을 통해 주인공들의 심리와 액션 등을 표현하는 데 적절해 보인다. 게다가 전통시장에서 이동하는 모습은 빠르고 박진감 있다. 이야기가 흔하게 구성되기 보다는 역동성을 갖기 위해서는 전통시장을 핵심적인 촬영지로 활용하는 것도 적절해 보인다. 대표적으로 영화 "국제시장"에 등장하는 꽃분이네 가게는 영화를 이끌어가는 공간이었다. 한편, 박서준과 아이유가 주인공으로 출연했던 영화 "드림"에서는 청량리 시장이 등장한다.

국내에만 1,400개의 전통시장이 있는 것으로 알려진다. 영화 "아수라"에서도 전통시장은 중요한 촬영지다. 이 영화에 등장한 중심 시장은 부산 중앙청과 시장 및 인천 제물포 시장이다. 해운대구 반여동 부산 중앙청과 시장은 극중 한도경 형사가 은 실장을 쫓아가다가 외국인 노동자들과 결투하는 장면이 촬영된 공간이다. 시장 자체가 미로와 같은 공간 구조다. 부산에는 수많은 시장이 있다. 영화 "아수라"에서는 특이하게 부산 중앙청과 시장을 선택했다. 영화의 속성을 감안해 보면, 느와르 장르 영화에 맞는 미로의 구조를 강조하기 위한 것으로 보인다.

영화 "아수라"에서는 다른 전통시장도 등장한다. 부산 영주 시장에서는 정우성과 주지훈이 식사를 하는 식당이 등장한다. 칼국수 분식집이다. 인천 제물포 시장 안쪽에서는 방앗간과 술집만 영업을 하고 있는 '구먹가게'(구워먹는 가게 맥주)가 영화 "아수라" 촬영장소로 나타나기도 했다. 몇몇 영화가 이 허름한 폐허에서 옛 감성을 발견한 것이다. 시초는 2011년 영화 '써니'였다. 주인공들이 욕배틀을 벌였던 공간이 제물포 시장이다. 제물포 시장은 영화 '신세계'에도 등장했다. 이 같이 특정 공간은 반복적으로 다양한 영화들에서 인기 있는 촬영지로 선택된다.

(4) 부산 구도심

부지불식간에 부산은 영화의 도시가 되었다. 국내에서 제작된 많은 영화들이 부산을 영화의 핵심 로케이션 공간으로 활용해 왔다. 부산이 영화의 도시가 된 것은 부산이라는 도시 공간의 다양성이 높기 때문일 것이다. 부산은 오래된 도심과 해운대 앞의 마천루, 그리고 바다와 산이 공존하는 공간이다. 오밀조밀한 구도심을 비롯해 모던한 바닷가 초고층 빌딩과 아름다운 카페, 그리고 식당들이 적지 않다.

부산이 영화 촬영지로 본격적으로 등장하게 된 것은 영화 "친구"로부터 시작될 것이다. 오래된 부산의 도심 여러 곳에서 주인공들의 걸쭉한 부산 사투리가 얼버무려지는 곳으로 부산은 매력적인 공간으로 나타난다. 부산의 공간과 영화 이야기가 가장 잘 어울리는 영화중의 하나가 영화 "친구"였다. 대변항 방파제를 비롯해 자갈치시장, 영도다리, 삼일극장, 국제호텔 나이트클럽 앞거리 등은 영화에서 등장하는 대표 촬영지들이다. 범일동 구름다리는 이미 부산의 상징적인 공간이 되었다. 영화 친구를 통해 오래 전부터 기억되어 왔던 부산의 도심지와 골목들이 그대로 재현되었다.

영화 "아수라"에서도 1976년 개장한 상가 건물형 시장인 사하구 장림골목시장 뒷골목이 등장한다. 다닥다닥 붙은 집들 사이에 좁은 골목길이 많다. 부산 자체가 골목길과 산으로 올라가는 길이 많다. 해방 이후, 한국전쟁을 거치면서 산동네 마을이 발달했다. 그만큼 수직적인 오르막, 내리막길을 표현하거나 또는 수평적이지만 곡선에 가까운 골목길이 영화 촬영지로는 최적의 공간 중의 하나로 평가받는다. 영화 "아수라"에서는 다양한 공간들이 등장하지만 부산의 골목길이 중요한 촬영지 공간 중의 하나였다.

(5) 장례식장

영화의 결말은 하나의 공간에서 이루어진다. 그곳은 이 영화의 주인공들이 모두 모여 서로를 걸고넘어지는 지뢰밭이다. 박성배의 수하였던 은충호 장례식장 장면이다. 정우성은 악덕시장 황정민과 악독 검사 곽도원 사이에 끼여 두 개의 정체성을 놓고 흔들린다. 해결 방식은 같은 공간에서 같이 만나는 것이다. 부패한 형사들과 악덕시장, 도를 넘는 검사와 극악한 검찰 수사관들이 같은 시점, 공간에 모인다. 병원 지하 장례식장이다. 추가로 등장하는 인물들은 외국인 킬러들이다.

영화 "아수라"의 장례식 장면은 대략 37분 동안 계속된다. 한 공간에서 이렇게 오랫동안 촬영한다는 것은 쉽지 않다. 게다가 장례식장이 있는 지하 공간은 면적은 좁고 높이는 낮다. 질식할만한 공간이다. 점차 악으로 포장된 주인공들이 서로의 약점을 놓고 최종 싸움에 나선다. 아무런 합의와 조정도 없다. 악덕 시장 황정민이 독종 검사 곽도원에게 무마 대가를 제안하지만 이를 거부한다. 이후 검사가 앰뷸런스를 불러 주면 수사를 통해 시장을 면책하겠다는 제안은 시장이 거부한다. 서로가 서로를 거부하는 결말은 모든 악의 소멸이다.

영화 마지막 장면을 담당하는 장례식장은 택시에서 정문을 들어가는 장면으로부터 시작해 박성배의 조문 장면, 복도와 식사 장 안의 장면, 그리고 또 다른 공간 등으로 구성된다. 외부의 공간은 차량들로 구성된다. 하나는 검찰 수사진들이 모두 모여 작전을 지시하고 논의하는 버스, 다른 하나는 민평동 외국인노동자들로 구성된 조폭들이 타는 승합차다.

답답하고 좁은 공간에서 영화를 이끌어가는 힘은 등장인물들과의 대화가 핵심이다. 극의 흐름은 중요한 두 사람들 간의 대화를 통해 급격히 빨라진다. 첫째는 식당 안에서 박성배와 정우성이 식사와 술을 마시며 오고가는 대화다. 이 대화를 통해 두 사람 간의 관계는 단절되고 도청사실을 알리면서 2인 관계의 갈등은 3자 관계로 확대된다. 두 번째 중요한 2자 회의는 박성배와 곽도원이 돈을 놓고 서로를 저울질하는 장면이다. 셋째, 정우성은 경찰 후배인 주지훈과 이야기하는 장면이 등장한다. 자신이 가장 아끼던 후배와의 갈등 공간이다. 이 같은 다양한 대화들이 무력화되면서 싸움은 본격화된다. 그리고 등장인물들 모두가 참여하는 아수라장으로 바뀐다.

8) 1990년대 집단 기억의 공간: 벌새

영화 "벌새"는 특이하다. 새 이름을 제목에 썼다. 벌새는 우리나라에서는 찾아볼 수 없는 중남미 지역에서만 서식하는 작은 새다. 영화 "벌새"에서는 벌새가 등장하지 않는다. 새가 중요한 것이 아니라 벌새의 이미지가 필요했다. 영화 "벌새"는 주인공 은희를 상징하는 은유다. 짧은 시간에도 수많은 날갯짓을 통해 어른이 되려하는 은희를 벌새에 비교했다. 벌새는 지구에서 가장 작은 새 중의 하나로 꿀을 먹는다. 벌새는 작지만 강한 새다. 게다가 공간에서 순간 정지가 가능한 특이한 새다. 주인공 은희 역시 가장 평범한 14세 중학생으로 등장하지만 그녀의 사회적 경험은 당시의 시대 상황과 맞물려 하나하나 쌓여 간다.

영화 "벌새"가 다루는 시간은 1994년이다. 드라마 "응답하라 1994"와 마찬가지로 이 영화는 1990년대 한국 사회, 특히 강남 대치동을 다룬다. 1990년대 중반의 강남은 마치 소설가 유하의 "바람 부는 날이면 압구정동에 가야 한다"에서처럼 다른 지역과는 차별화된 문화가 등장하기 시작했던 공간이다. 당시는 군사독재와 같은 정치적 격변기 이후 문화적 다양성이 팽창하는 동시에 강남에 부동산 투기 열풍이 불기 시작한 시점이다. 경제 성장으로 인해 국가 부의 규모는 늘어갔지만 거품이 끼기 시작하고 1998년에는 IMF 구제 금융 신청을 통해 거품은 붕괴된 시기였다.

경제와 문화, 사회 구조의 격변 속에 등장하는 주인공은 중2 학생인 14세 은희다. 은희는 부모님이 떡집을 운영하는 평범한 중산층 집에 거주하지만 그 지역이 강남 대치동이다. 주인공 은희의 시각으로 바라보는 영화 속 한국 사회의 문제점들은 하나 둘이 아니다. 가부장적 사회제도에서부터 가정폭력, 빈부 격차, 남녀 차별, 무관심, 교육 과몰입, 성수대교 붕괴 등등 수를 헤아리기 어려울 정도다. 영화는 철저히 은희의 시선으로 주위 사람들을 바라본다. 영화 속 주인공 은희의 표정은 대체로 불안하다. 가족, 친구, 학교 등등 은희를 둘러싼 관계의 문제들은 당시 사회의 구조적 문제점들을 반영하면서 하나 둘 파열음을 낸다.

"벌새"는 은희의 성장을 다룬 영화이지만 당시 한국 사회의 붕괴와 새로운 희망을 다룬 영화이기도 하다. 영화에서는 극적으로 성수대교의 붕괴를 다룬다. 그러나 영상에 나타난 성수대교의 붕괴가 영화가 지향하는 주제는 아니었다. 오히려 영화 "벌새"는 과거와 현재, 그리고 미래를 연결하는 세대와 가족, 이웃 간 단절 가능성을 다룬 영화에 가깝다. 영상으로는 근대 건축물인 성수대교의 붕괴를 다루고 있지만 그 이면에는 은희의 시각에서 사회관계들을 하나둘 다룬다. 영화 "벌새"는 성수대교 붕괴라는 도시 공간의 단절을 상징화한 것일 뿐 실질적으로는 한국 사회에 뿌리박힌 구조적 문제점들을 다룬 영화다.

공간적으로 살펴볼 때, 주인공 은희가 바라보는 공간은 다음과 같다. 1990년대 새로운 중심지로 다시 태어나는 강남 대치동, 가부장적 질서가 지배적인 은마 아파트 집, 재건축을 통해 가치 증식을 바라는 동네 분위기, 은희가 주위 사람들로부터 사랑을 받게 되는 병원, 성적 지상주의와 친구 간 배신이 이루어지는 학교와 친구들, 강남 속 빈부 및 사회적 격차를 상징하는 떡집, 은희의 이상적인 인물, 영지 선생님을 만나게 되는 한문 학원, 그리고 한국 사회의 붕괴를 상징하던 1994년 성수대교 등이다.

이중 가장 중요한 공간은 강남구 대치동 은마 아파트 은희네 집이다. 1990년대 대치동 은마 아파트는 중산층이 많이 살던 지역이었지만 학군 등의 도움을 받아 강남을 대표하는 신흥 발전 지역이 된 곳이다. 이곳에서 떡집을 운영하는 은희네 부모님은 경제적으로는 중산층이지만 학력이나 직업 측면에서 차별을 받는 집이다. 영화 속 은희네 떡집은 대치동 상가에서 영업을 하는 것으로 나타나고 있으며 이웃 사람들도 이 점을 인식하고 있다. 그래서 은희네 집은 아들을 통해 서울대와 같은 학력 네트워크를 쌓으려 하지만 그로 인해 집 분위기는 남자들이 권력과 폭력을 행사하는 가부장적 공간이 된 곳이다.

독특하게 은희네 대치동 은마 아파트 집은 온 가족이 만나는 공간은 대체로 식탁이다. 일반 가정들이 쇼파와 탁자 주위에서 가족 간에 이야기가 오고가는 반면에 이 영화는 가족들이 식탁에서 식사를 하면서 일방적인 대화가 오고간다. 마치 명령을 하달하고 지시를 받는 분위기다. 그러나 영화 후반부에 성수대교가 붕괴된 이후에 버스를 늦게 타서 살아난 첫째 딸에 대해 아버지와 아들은 후회와 안도를 하게 되고 가족들의 상처들은 조금씩 아물게 된다.

은희의 애정 결핍 또는 상처는 학교와 친구 또는 후배들과의 관계에서도 나타난다. 학교는 은희가 좋아하는 만화 그리기와는 전혀 관심이 없고 반복적으로 서울대 진학만을 최우선적인 가치로 학생들을 세뇌한다. 또한 노래방을 가거나 담배를 피거나 남자친구를 사귀는 학생들은 날라리 학생으로 낙인을 찍는다. 이 같은 학교 분위기에서 주인공 은희가 탈출구로 삼는 것은 남자 친구와 동성 친구들이다. 그러나 남자 친구는 그의 어머니가 은희가 방앗간 집 딸이라는 이유로 차별하는 눈빛을 보내고 뿐만 아니라 다른 여학생과 사귀게 된다. 가장 친한 친구인 지숙은 문방구에서 물건을 훔치다 걸린 후 은희를 배신한다. 게다가 은희를 좋아한다고 말했던 동성 후배 유리 역시 은희를 멀리한다.

은희는 자신의 개인 연결망에서 상처와 무관심을 받고 성장통을 겪는다. 그러나 한문학원의 영지 선생님, 병원 의사선생님과 입원 환자들의 사랑을 받고 다시 일상생활에서 더 성장한 모습으로 출발을 하게 된다. 그리고 1994년 성수대교의 붕괴가 자신의 친언니와 한문학원의 영지 선생님에게도 직접적인 영향을 미칠 수 있다는 것을 깨닫는다. 이는 은희라는 여중생의 세계가 단순히 가족이나 이웃, 친구와의 여러 관계들을 넘어 우리 사회의 문제나 변화와도 연결될 수 있다는 것을 드러낸다.

영화 "벌새" 감독은 1990년대를 중심으로 은희를 둘러싼 인간관계와 더 넓은 사회와의 연결점을 찾기 위해 다양한 일상적인 공간들을 활용하고 있다. 영화 "벌새"에서 나타난 주요 공간별 특성을 살펴보면 다음과 같다.

<표 11> 영화 “벌새” 주요 공간 구성

공간	등장인물	이야기	특성
은마 아파트 복도	은희	은희가 집을 못 찾거나 물건 훔친 일로 벌을 받던 공간	실제 은마 아파트 복도
은마 아파트 내부	은희네 가족	가부장적 가족들의 위계와 무관심, 외삼촌을 제외한 외부인들의 출입 없음	실제 은마 아파트 집 공간을 재구성 연출
은마 아파트 동네	은희/지숙 /유리 등	은희의 친구나 후배 등 친구 관계를 포함하는 공간	실제 개포 주공아파트 단지로 추정
비상계단	은희/지완	은희 남자친구 지완과의 키스 장면 촬영 공간	실제 장소 불명확함
중학교	은희/선생님 /학교 친구들	날라리로 지목된 은희의 즐겁지 않은 학교생활	영화 속 중학교는 대청중, 실제는 다른 학교
한문학원	은희/ 영지 선생님/ 지숙	은희의 가장 편안한 공간	대치동 학원이 아니라 개포동 학원으로 추정
떡집	은희네 가족	은희 집은 떡을 만들고 파는 방앗간집 식구로 등장	영화 속 떡집은 대치동이지만 실제는 송파구로 추정
등교 거리	은희	은희가 학교를 오고가는 중에 보게되는 재개발 현장	재개발이 이루어지던 개포동으로 추정됨
트램펄린	은희/지숙	은희와 지숙이 가장 솔직한 마음을 주고받는 놀이 공간	계속 성장하고 어른이 되고 싶은 은희의 공간
아파트 상가	은희와 친구들	은희가 친구들과 만나는 공간	개포동으로 추정
병원 (새서울병원)	은희/ 의사선생님	은희가 목에 잡혀진 혹을 치료하러 처음 간 병원	실제는 마포구 합정동 소재 병원

공간	등장인물	이야기	특성
병원 (종합병원)	은희/ 입원 환자들	은희가 수술 받으러 간 병원, 같은 입원환자들로부터 관심을 얻게 됨	병원 내부만 등장함
장례식장	은희 가족	은희 외삼촌 장례식장 은희는 남자친구에게 연락함	강남 이외 공간
콜라텍	은희 친구/후배	은희가 춤을 추거나 담배 피는 장면	일탈의 공간
문방구	은희/지숙	문방구에서 물건을 훔치다 걸리는 장면	실제 한보상가 내 문방구로 추정
노래방	은희/유리	은희와 유리가 노래방에서 노래 부르는 장면	일탈의 공간
성수대교	은희/언니와 남자친구	성수대교 붕괴 이후 현장을 찾아가는 모습	1994년 강남 대치동 여중생의 새로운 변화를 의미하는 공간

(1) 대치동

영화 "벌새"의 핵심 공간은 바로 강남 아파트, 시간은 1994년이다. 영화 벌새 시간과 공간의 설정은 과거의 거대 쟁점이 미시적 일상과 엮여지는 과정이 등장하게 된다. 이 영화는 중학생 주인공 개인의 성장을 다루지만 그 성장과 발전을 기술하는 목표는 입시에서의 서울대 진학이나 재건축 공간 등 당시에 직면했던 한국 사회의 쟁점들이 드러난다. 한국 사회를 규정짓는 가치가 이미 한 개인의 성장 이전에 결정되어 있다.

"바람 부는 날에는 압구정동에 가야 한다"는 시집을 낸 시인 유하는 압구정동을 강남의 상징으로 보았다. 영화 벌새는 압구정동 대신에 대치동을 선택한다. 1994년 대치동은 강남을 상징하는 교육 중심지도 그렇다고 타워팰리스가 지배적인 지역도 아니었다. 오히려 다양한 계층의 사람들이 살아가는 다양성이 있었던 곳이다. 영화 "벌새"는 1990년대 강남의 주변부 공간인 대치동, 그리고 개포동을 중요한 공간으로 활용했다.

영화 "벌새"가 대치동을 선택한 이유는 강남의 완전한 공간으로 진화하기 이전의 욕망이 충만해 있는 새로운 공간을 찾기 위한 것으로 보인다. 1980년대의 강남은 압구정동이 문화 트렌드를 이끌었던 공간이다. 반면에 강남 교육 시장은 대치동으로 이동했다. 사교육 1번지가 된 곳이다. 기존 명문학교들이 강북에서 강남으로 이동하고 입시 제도의 변화와 고학력 강사들의 유입 등으로 대치동은 사교육의 핵심지가 되었다. 기존 강남 중심지에 비해 부동산 투자비용은 낮지만 교육 수요는 높은 대치동이 사교육의 중심지가 된 것이다. 소규모 보습학원 중심으로 성장하게 된 대치동 학원가는 이후 인터넷 강의를 활성화시키게 된 공간이기도 했다.

영화 "벌새"에서 대치동 은마 아파트는 주인공 은희가 살고 있는 곳이다. 한보 기업이 건축했던 아파트로 대치동을 상징하는 공간이다. 1990년대 대치동 은마 아파트는 강남 거주 사람들의 욕망이 대체로 무엇이었는가를 보여줄 수 있는 곳이다. 당시에 그곳 거주자들은 사교육 1번지 대치동에 자랑스러운 마음으로 살던 사람들이다. 중산층을 대표하는 은마 아파트 주민들은 교육 자본을 바탕으로 상류층 진입을 모색했던 욕망을 갖고 있었을지 모른다. 강남 한 복판, 사교육 중심지 거대 아파트촌 은마 아파트는 그래서 강남 시민들의 욕망의 집합지라고 말할 수도 있는 곳이 되었다.

(2) 은마아파트 1002호

영화 "벌새"는 작가의 말대로 물리적 집이 아니라 심리적 집 공간을 찾아가는 로드 무비와 같다. 그럼에도 은희의 은마 아파트 집은 여러 가지 독특한 측면들이 있다. 첫째, 아파트가 복도식이다. 영화 속 1990년대를 상징하는 공간은 복도식 아파트다. 복도식 아파트는 1980년대를 중심으로 중산층 아파트의 대표적인 아파트 건설 구조였다. 복도식 아파트는 건축 비용이 낮고 단기간에 많은 세대를 건설할 수 있는 이점이 있었다. 반면에 복도식 아파트는 복도에 인접한 방들의 프라이버시 보호나 외부 소음들로부터 노출되는 약점들도 갖고 있었다. 1990년대 한창 개발과 성장을 위해 단기간 내에 근대화를 가속화시킨 한국 사회의 가치가 아파트 건설 방식에도 그대로 반영된 것으로 보인다.

복도식 아파트 구조는 다른 한국 영화들에서도 비교적 많이 등장한다. 봉준호 감독의 영화 "플란다스의 개"에서 복도시 아파트가 핵심 공간이다. 영화 "콘크리트 유토피아"에서도 황궁 아파트도 복도식 아파트다. 영화에서 복도식 아파트가 등장하는 이유는 당시의 시대적 분위기를 재현해 내는 효과가 있기 때문이다. 영화 "플란다스의 개"가 촬영되던 1990년대 당시 대부분의 아파트들은 복도식이었다. 반면에 영화 "벌새"

나 "콘크리트 유토피아"와 같은 영화는 연식이 오래된 아파트 또는 1990년대를 재현해 내는 공간 장치로 복도식 아파트가 활용된 것이다.

둘째, 은마 아파트 1002호는 획일적인 아파트 구조로 만들어져 있다. 영화 오프닝 장면에서 은희는 자신의 집을 찾지 못하고 902호로 찾아간다. 갈 길을 잃고 불안감에 휩싸여 있는 은희는 문을 두드려도 문은 열리지 않는다. 1990년대 중산층의 대표적인 거주 방식이 아파트였다는 점에서 이웃과는 고립된 채 살아가는 사람들은 정확하게 자신의 집이 아니면 방황하게 되는 결과가 나타난다. 영화 "벌새"에서도 이 같은 획일적인 아파트에서 오직 자신을 위로해 줄 사람으로 가족만을 찾던 주인공 은희의 시선을 살펴볼 수 있다.

셋째, 은마 아파트 1002호는 겉으로는 가장 보편적인 평범한 집이다. 그러나 그 내부에서는 가부장적 권력의 붕괴를 다루기도 한다. 은희네 집에서 가부장적 권력을 갖고 있는 인물은 아빠와 오빠다. 둘 다 남자들이다. 이들은 집안의 노동력이자 의사결정권자이자 그들에 대항하는 이들을 강하게 억압한다. 이들은 자신들의 권력을 바탕으로 가정 폭력을 행사하기도 한다. 그러나 역설적으로 이들은 가부장적 시스템에서 오히려 더 억압받고 순종하는 비자율적 캐릭터들이다. 전통적인 아파트 공간에서 가부장적 권력을 행사하던 이들은 사회와 경제, 문화 등 거시 변화에 따라 가족 내 권력 의지를 반환한다.

(3) 재개발 공간

은희가 학교를 가는 길에 늘 보게 되는 재개발 공간이 등장한다. 은희의 걸음 사이로 재개발에 반대하는 글들이 적혀진 장면이 지나친다. 정확한 위치는 등장하지 않지만 재개발을 위한 펜스가 설치된 채, 그 펜스 담장에는 재개발 반대를 주장하는 글들이 적혀 있다.

은희가 살고 있는 대치동의 일상적 장면이다. 영화에서는 직접 강남 재개발이나 재건축에 대한 이야기가 드러나지 않는다. 그러나 은희는 재개발이나 재건축이 일상화된 욕망으로 체화되어 이를 찬성하고 반대하는 욕망들의 갈등 지점을 지나쳐야 한다. 그 만큼 1990년대 강남 지역에서 흔하게 볼 수 있었던 동네 모습이라고 할 수 있다.

은희는 영지 선생님과의 대화를 통해 재개발 문제에 질문한다. 은희가 "선생님 여기 사람들 왜 현수막을 거는 거예요?"라는 질문을 하자 영지 선생님은 "집을 안 뺏기려고"라는 대화가 이어진다. 강남이라는 공간이 갖고 있는 경제적, 교육적 가치를 감안해 본다면 새로운 재개발로 이익을 얻게 되는 주체는 소유주뿐이다. 임대인들이나 또는 불리하게 재산 가치를 평가받은 사람들은 손해를 보게 된다. 결과적으로 재건축이나 재개발과 같은 도시 재정비 사업은 늘 이익을 보는 사람과 손해를 보는 사람이 서로 제로섬 게임을 벌이게 되는 특성이 있다. 은희는 성장의 과정에서 강남의 재개발이 의미하는 바를 정확하게 이해하지는 못하지만 그 제로섬 게임의 성격을 인식하기 시작한 것이다.

강남은 오래된 것을 해체하고 개발해 새로운 건물을 올려 경제적 부를 창출하려는 욕망이 일상화된 곳 중의 하나다. 개발 대비 수익률이 높기 때문일 것이다. 특히 1990년대를 살아가던 강남 소시민들은 계층 사다리를 타고 한 단계 더 높은 계층으로 올라가기 위해 재건축이나 재개발에 적극 참여하려는 일상적 욕망이 있었다.

자신의 집을 재건축하거나 재개발함으로써 더 비싸고 좋은 집을 소유할 수 있었다. 그 결과, 이들은 중산층에서 상류층으로 이동할 수 있는 기회를 마련할 수 있다. 영화 “벌새”는 간접적인 방식으로 강남의 아파트와 인근 재건축 공간을 보편적인 공간으로 만들어 그곳에서 살아가는 사람들의 욕망을 일상화시키는 방식을 활용했던 것으로 보인다.

(4) 병원

이 영화에서 중요한 의미 공간 중의 하나는 병원이다. 병원은 병을 치료하기 위한 공간인데 이 영화에서 병원은 은희가 심리적으로 안정을 찾아가는 공간이다. 가부장적 집안, 친구들과의 갈등 속에서 은희가 심리적으로 안정을 찾을 수 있고 자유를 느낄 수 있는 공간이다. 병실 사람들은 서로 잘 모르는 타인들로 가득하지만 이들은 서로의 아픔을 공감하고 치유하기 위한 심리적 결사체이다. 집에서 많은 아픔을 갖고 있었던 주인공 은희가 사회적으로 치유 받는다는 느낌을 갖게 되는 곳이다. 그래서 영화 “벌새”는 병원이 은희의 심리적, 사회적 치유를 위한 공간으로 등장한다.

(5) 학교

주인공 은희는 재건축이 진행되는 주위 공간에서 거주와 대청중학교로 통학을 한다. 1990년대 강남에서 거주하는 주인공의 일상과 시간을 공간적 의미가 드러나는 부분이다. 낡은 강남의 공간은 대치동이라는 상징이 있다. 게다가 1990년대 강남은 교육의 공간이라는 의미가 연결된다. 그러나 은희는 학교에서 편하지 않다. 강남 학교에서의 친구 관계는 지능이나 거주지 등에 의해 차별적으로 이루어진다. 게다가 담임 선생님은 "나는 노래방 대신 서울대 간다"는 구호를 외치게 한다. 영화 "벌새"에서 학교는 새로운 성장을 위한 교육의 공간이기 보다는 강남 출신의 서울대를 목표로 하는 압박과 강제의 공간으로 등장한다.

(6) 떡집

영화 "벌새"는 또 다른 가족의 공간을 떡집으로 연결한다. 떡이라는 음식은 한국적이면서도 매우 일상적인 음식 중의 하나다. 강남 대치동에서 살면서 떡집의 막내딸로 나오는 은희의 정체성은 쉽게 흔들린다. 강남 한복판에 살지만 은희네 집은 의사와 같은 전문직이 아니라 떡집을 운영하며 먹고 사는 가족들이다. 은희는 학교에서도 떡집 딸로 친구들의 놀림을 받는다. 감독이자 작가는 자전적 개인적 경험으로부터 떡집의 공간을 연결한 것으로 알려진다. 그러나 은희가 떡을 영지 선생님에게 선물하고 감사의 말을 전해 들으면서 떡이란 은희네 가장 소중한 자산이라는 것을 알 수가 있다.

이 영화는 강남에 살면서도 떡집을 하는 소시민 가족의 흐름을 보여주기 위한 것으로 보인다. 그러나 겉으로는 평범해 보이는 은희네 가족은 서서히 붕괴되고 있다. 부모는 서로 다른 삶을 지향한다. 일반 가족들과 크게 다르지 않은 모습을 보이는 가족이지만 가족 구성원들 간의 감정적인 교류는 거의 이루어지지 않는다. 더 큰 쟁점은 3남매와 관련된다. 가부장적 지위를 갖고 있는 오빠, 그리고 일탈 속성이 있는 언니, 그리고 아무에게도 사랑받지 못하고 있다고 느끼는 은희 등 3남매들은 경제적 만족이나 관계적 즐거움도 충분하지 않은 단절된 가족의 구성원으로 등장한다.

(7) 한문 학원

주인공 은희가 주위 사회관계들로부터 단절되거나 또는 배신을 당하는 가운데 위로를 받게 되는 또 다른 공간은 한문 학원이다. 한문 학원에서 그녀를 가장 잘 이해하는 사람인 영지 학원 선생님을 만났기 때문이다. 영화 "벌새"에서 은희에게 가장 중요한 사람, 영지 선생님은 은희가 매달리고 원할 정도로 위로와 조언을 주는 사람이다. 그리고 은희가 겪는 사회적 관계에서 일어나는 문제들에 대한 해결 방안과 방향까지도 알려주는 선생님이자 친구이자 언니이자 사랑하는 연인이기도 하다. 그만큼 영지 선생님은 심리적으로 다층적이고 다면적 속성을 가진 사람으로 등장한다.

한문 학원은 1990년대의 분위기가 가장 잘 표현된 공간 중의 하나다. 당시에 비교적 여러 공간에 한문 학원들이 있었다. 한자 또는 한문을 배우려는 열풍이 있었기 때문이다. 은희와 영지 선생님이 만난 공간은 한자 학원으로 이곳은 소통과 교류의 공간이었다. 영지 선생님은 은희의 이야기를 듣는 사람이었고 그녀를 위해 조언을 해준 사람이었다. 외로움을 느낀 10대 소녀 은희는 그녀의 이야기에 귀를 기울여주는 사람을 만난 셈이다. 게다가 은희와 영지 선생님은 왼손잡이다. 특이하게 두 사람의 글 쓰는 방식은 윈손으로 연결된다.

여기서 궁금한 점은 왜 영어나 국어학원도 아닌 한문 학원을 공간의 중심으로 설정했는가에 대한 의문이다. 영화를 감독한 김보라 감독 역시 중학교 때 한문 학원을 다녔다하니 감독의 자전적인 경험이 반영되었을 수도 있다. 그러나 더 근본적인 이유는 1990년대 한자 배우기 열풍이 불었던 이유였을 것이다. 1990년대 초반 한문을 배우려는 열기가 높아진 이유는 1992년 한중 수교로부터 시작된다. 한중 수교 이후 중국과의 교류가 늘어나면서 한문에 대한 일반인들의 관심 정도가 증가했다.

한문에 대한 관심은 기업들의 인력 충원이나 입시에도 반영되었다. 특히, 대기업들이 한자 시험을 입사 시험 과목으로 선택하면서 일반인들의 한자 수요가 늘어났다. 2000년대 초반에는 대학 입시 교과목으로도 한자 과목이 포함되기도 했다. 한문을 배운다는 것은 입시나 취업에 도움이 되는 것이었다. 게다가 공인 시험 중 하나인 한자능력검정시험에 지원하는 학생들의 수도 점차 늘어만 갔다. 2000년대 초반에도 한자 배우기 열풍이 지속되면서 한자를 소재로 만든 만화 마법천자문은 당시에 1천만 부 이상 판매된 베스트셀러였다. 손오공 모험을 통해 천자문을 배울 수 있는 만화였다.

(8) 성수대교

영화 “벌새”의 포스터를 보면 무너진 성수대교를 뒤로 주인공 은희의 불안한 모습이 등장한다. 가방을 손에 꽉 쥐고 앞을 응시하고 있지만 그녀의 표정은 불안하다. 무엇이 그녀를 이토록 불안하게 만든 것일까? 영화 포스터에는 느닷없이 붕괴된 성수대교도 같이 등장한다. 이 포스터 한 장이 영화를 전체적으로 이해할 수 있는 단서들이다. 보편적인 소녀의 불안함, 그리고 뒤편에 그려진 성수대교 붕괴가 영화의 중심 키워드이다. 소녀의 불안함과 성수대교의 붕괴는 1994년이라는 시간을 통해 서로 연결된다.

이 영화는 세상을 잘 알지 못하고 세상과 어울리는 방식을 모르는 은희라는 중2학생의 작은 세계가 가족, 친구, 선생님이 아닌 사회 전체적인 변화나 단절과도 연결된다는 것을 드러낸다. 중2학생의 성장 과정이 개인적으로는 가족이나 친구, 학교나 학원 선생님과의 관계가 대부분인 것 같지만 그 관계들은 우리 사회의 시대적인 트렌드와 변화, 그리고 단절 등 다양한 거시적 요인들과 밀접하다. 은희가 가족이나 친구, 학교나 학원에서 만나는 사람들과의 관계는 개인적 관계를 넘어서 사회적 흐름이나 질서를 통해서도 영향을 받을 수 있다는 것이다.

이는 미시적인 개인의 삶이 거시적인 국가, 더 나아가 글로벌의 삶과 서로 영향을 끼치는 관계라는 점이다. 은희 역시 그의 개인적 삶의 차원에서의 좌절이나 위로 차원을 넘어 본인이 통제할 수 없는 거대한 시간의 흐름 속에서 삶의 법칙을 깨닫게 되는듯하다. 마치 가족들과의 관계 속에서 느껴지는 소외나 불만족이 이 세상의 전부가 아니라는 점이다. 은희는 개인적으로는 가족이나 친구들로부터의 위로나 희망을 바라지만 이는 일시적일 뿐 작고 큰 변화 모두가 세상의 복합적인 역학의 산물로 이해할 필요가 있다는 사실이다.

그리고 영화에서 은희는 자신이 경험하는 관계의 단절을 성수대교의 붕괴와 연결하는 고리로 선택한다. 은희 언니 역시 강남 집에서 강북 학교로 등하교를 하던 학생이었다. 성수대교 붕괴 뉴스를 듣고 언니를 찾던 은희는 성수대교의 붕괴가 가족 구성원의 단절로 연결되지 않은 것에 안심해 한다. 그러나 은희가 정신적인 교감을 나누었던 영지 선생님과 단절되는 사건이 성수대교 붕괴이다.

9) 이름 모를 도시의 낡은 시간들: 무뢰한

2015년 개봉된 오승욱 감독 영화 "무뢰한"은 모호하다. 모호함이 이 영화의 가장 큰 이점이자 단점일 것이다. 삼각관계를 바탕으로 하는 멜로 영화 같기도 하지만 느와르 영화처럼 긴장감은 지속되고 사이사이에 액션들도 더해진다. 또 다른 측면에서는 범죄 영화 속성도 강하다.

영화의 공간적 구성은 재건축 현장에서 시작된다. 그곳에서 조폭들 간 살인사건이 벌어진다. 이 사건을 맡게 된 형사는 흐느적거리듯 이곳을 찾게 된다. 이미 범인은 누구인지 알려져 있다. 영화 여주인공인 김혜경의 정부, 박준길이다.

주인공 형사인 정재곤은 범인을 잡기 위해 종적을 감춘 박준길의 여자, 김혜경에 의도적으로 접근한다. 처음에는 신분을 속이고 술집 영업상무로 김혜경과 같은 공간에서 일을 하게 된다. 그러나 정재곤이 술집 바닥의 특성을 전혀 모르는 것을 의심한 김혜경은 그를 의심한다. 그러나 시간이 가면 갈수록 두 사람은 조금씩 진심을 이야기하고 서로의 감정을 공유하게 된다. 두 사람들 간에 애정이 싹트게 되지만 형사 정재곤은 자기 할 일을 선택하고 박준길 체포과정에서 그를 사살한다.

이후 김혜경은 나락으로 떨어져 마약환자를 불법적으로 도와주는 삶을 살게 되고, 마약 범죄를 수사하는 과정에서 정재곤은 다시 한 번 김혜경을 만나게 된다. 그러나 김혜경은 음침한 인천의 재개발 골목길에서 정재곤을 칼로 찌르고 정재곤은 푸르스름한 도시의 야경을 뒤로 한 채 산동네 언덕길을 걸으면서 영화는 마무리된다. 가장 바닥으로 추락하고 있는 여주인공 김혜경, 그리고 조폭 출신의 박준길이 조폭 보스 여자였던 김혜경을 사랑하면서 생겨난 살인 사건과 복수, 그리고 박준길을 잡기 위해 김혜경을 사랑하게 된 형사 정재곤의 인연이 복합적으로 얽혀 있다.

이 영화를 장르적으로 살펴보면 전형적인 멜로드라마와는 거리가 있다. 물론 영화의 구성이나 짜임새로 보면 완전히 새로운 장르는 아니다. 잘 나가던 술집 마담과 그의 애인 범죄자, 그리고 그 살인 범죄자를 잡기 위해 술집 마담에게 접근하는 젊은 형사의 삼각관계가 중심적인 이야기 구조다. 영화 주인공들의 캐릭터들은 새롭지 않다. 형사와 술집 여자, 조폭 출신의 범죄자가 거의 전부다. 느와르 장르 영화에서나 볼 수 있을만한 중복되는 캐릭터들이다.

술집 마담이었던 김혜경은 범죄자 애인을 위해 서울 연립주택 집을 매각하고 도망치듯이 성남으로 이주한다. 성남 공간에서 허름한 단란주점에 매여 밑바닥 삶을 살아가지만 범죄자 애인과는 로맨스가 지속된다. 범죄자 애인은 탈주하기 위해 술집 마담에게 계속 돈을 요구하는 반면 가장 마초적인 동시에 범죄자에 가깝던 형사는 범죄자를 잡기 위해 술집 마담 인생에 끼어들게 된다.

가면을 쓴 형사와 가면이라도 믿고 싶은 술집 마담은 어느 순간 사랑 아닌 사랑에 빠지게 된다. 그러나 형사 정재곤은 자신의 목적을 위해 술집 마담을 이용한 것이고 마담은 배신감을 느끼게 된다. 남자는 그 이후 술집 마담에 대한 근원적 부채감을 갖게 된다. 이 영화 이야기는 현실적이지만 현실적이지 않은 느낌도 강하다. 이 같은 영화는 제작자가 직접 영화 메시지를 전달하기 보다는 이용자가 다양하게 해석하는 측면이 더 중요해 보인다.

이 영화에서 독특한 특성 중의 하나는 도시의 오래된 공간을 활용한다는 것이다. 영화 전체적으로 직접적으로 재개발이나 재건축을 표현하지는 않는다. 그럼에도 오프닝부터 전체적으로 재개발이나 재건축 공간을 집중적으로 활용한다. 그리고 느와르 영화처럼 영화는 빛의 사용이 최소화된다. 어둠 속에 움직이는 주인공들의 움직임이나 감정들이 은밀하게 드러날 뿐이다.

특히 오프닝 장면에서의 서울 서대문구 좌원상가와 인근 지역에 대한 공간 구성은 영화의 어두운 특성을 잘 이끌어내는 것으로 보인다. 클로징 장면에서도 인천 송림동의 재개발 골목길을 잘 활용해 밑바닥까지 내려간 한 여자, 그리고 철저히 자신만을 위해 냉정하지만 그녀에 대해 사랑의 감정을 느끼게 된 형사와의 안타까운 만남이 잘 영상화된 것으로 보인다.

영화 "무뢰한"의 주요 공간 구성은 서울 재건축 현장과 아파트에서 시작된다. 그리고 시간 흐름에 따라 단란주점과 성남시 저층 아파트, 차와 식당, 그리고 도심 거리와 마지막 인천의 재개발 골목길 등으로 이동한다. 형사 정재곤이 살인자 박준길을 잡기 위해 술집 마담이었던 김혜경을 추적하는 동선과 일치하는 구성이다. 정재곤이 김혜경을 만나기 위한 연결 공간들도 조폭이나 정보원들을 접촉하는 방식으로 이루어진다.

영화 전체적으로는 첫 장면의 재건축 공간, 그리고 클로징 장면에 등장한 인천 재개발 공간이 영화 처음과 끝을 공간적으로 연결하고 있다. 우리 사회 주변부에 있던 사람들이 공간 중심에 있지 못한 채 오래되고 낡을 대로 낡아버린 주변부 재개발이나 재건축 현장에서 전전하고 있음을 표현하고자 한 것은 아니었을까?

이 영화에서 주목할 만한 공간은 형사 정재곤의 거주 공간이다. 영화에서 그의 집은 전혀 드러나지 않는다. 대사를 통해서 그가 선배네 집에 기거한다는 것을 어렴풋이 유추할 뿐이다. 그는 먹거나 일을 하거나 쉬는 일은 거의 모두 자신의 차의 공간을 활용한다. 그는 갈 곳도 쉴 곳도 없는 캐릭터이다. 그런 그에게 자신의 아파트를 쓰라고 말하는 김혜경의 대사는 정재곤에 대한 연민과 사랑이 있음을 의미하는 것이다. 그러나 형사 정재곤은 그 어디에서도 정착하지 못한 채 도시의 재개발과 재건축 현장에서 부유하는 삶을 살아왔던 것이다. 영화 "무뢰한"에서 나타난 주요 공간별 특성을 살펴보면 다음과 같다.

<표 12> 영화 “무뢰한” 주요 공간 구성

공간	등장인물	이야기	특성
재건축 현장/ 좌원상가	정재곤	정재곤 형사가 살인현장인 재건축현장 부근 상가로 진입하는 장면	서대문구 좌원상가 및 인근 지역으로 추정
서울 아파트	김혜경/ 박준길	김혜경과 박준길이 몰래 만나는 집	서울 아파트로 추정
목욕탕	정재곤	정재곤이 혼자 목욕탕에서 피로를 푸는 장면	오래된 재래식 목욕탕
단란주점	정재곤/ 김혜경	정재곤이 위장해 술집 영업 상무로 취업, 김혜경과 만나고 같이 지내는 공간	성남으로 표시, 실제로는 수원 소재 단란주점
성남 저층 아파트 및 아파트 앞 공간	정재곤/ 김혜경/ 박준길	서울에서 밀려난 김혜경이 수원 저층 아파트로 이사함 정재곤과 박준길이 서로 처음 다투는 공간	성남으로 표시, 실제로는 군산 아파트
차	정재곤 및 형사들	정재곤의 생활공간이자 김혜경을 도청, 추적하는 공간임	소나타급 차량
전통시장	김혜경	김혜경이 박준길을 위해 반찬 등을 구매하는 공간	서울 아현시장으로 추정
식당	정재곤/ 김혜경	정재곤과 김혜경이 처음 진지하게 이야기하는 공간	이름 모를 해장국 식당
김사장 사무실	정재곤/ 김혜경	술집 사인지 회수(미수금 회수)를 위해 두 주인공이 김사장 사무실로 출장	번듯한 건물 내 김사장 사무실이 있지만 어디인지 공간 인식 파악하기 어려움

공간	등장인물	이야기	특성
제이인베스트먼트 사무실	민영기 상무와 부하들	허름한 가건물로 구성된 제이인베스트먼트 사무실	공사판 한가운데 조폭들의 허름한 사무실
도심 (성남) 거리	정재곤/ 김혜경	푸르스름한 수원 거리에서 정재곤과 김혜경의 대화가 오고가는 장면	성남 거리로 보이지만 실제로는 수원으로 추정
인천 재개발 동네 및 골목길	정재곤/ 김혜경	마지막으로 정재곤과 김혜경이 다시 만나는 공간	인천 송림동 재개발 골목길로 추정

(1) 서울 재개발 공간

영화 오프닝 장면은 가장 중요한 시점과 공간적 의미를 드러낸다. 영화를 이끌어가는 동기나 이벤트가 나타나기도 하며 함축된 방식으로 등장하기 때문이다. 영화 “무뢰한” 오프닝 장면은 재개발이 한창 진행 중인 도시 내 고층 아파트 사이로 강력계 형사 정재곤이 사건 현장으로 걸어가는 모습을 뒤에서 카메라로 따라가는 장면이 나온다. 형사의 뒷모습을 통해 영화의 시선이 이동하는 것을 알 수 있다. 그는 새벽 시간대 이름 모를 낡은 주차장에 자신의 차를 주차한 다음에 차에서 내려 어두운 도시 공간의 골목길과 굴다리를 거쳐 낡은 건물에 도착한다.

오프닝 장면이 펼쳐지는 시간은 어슴푸레한 새벽 시간대이다. 빛이 부족해 모든 것들은 푸른 색 계열로 비춘다. 느와르 영화를 보는 느낌이 강하게 드는 부분이다. 주인공인 형사가 차에서 내려 낡은 건물로 이동하는 과정에서 특이한 것은 그의 걸음걸이다. 무엇인가 엇박자로 흔들거리는 그의 걸음걸이는 영화 전체의 분위기가 불안정할 것이라는 느낌을 들게 한다. 주인공인 형사의 표정마저 무표정에 가깝고 이를 명확하게 규정하기 쉽지 않을 정도이다. 오승욱 감독은 이를 무엇인가 결핍된 의미를 담는 행동으로 설명하기도 했다.

그가 걸어가던 그 건물은 낡고 허름하고 오래된 느낌이다. 높지 않은 상가 건물로 특이하게 건물 뒤편으로 큰 출입구가 있다. 이 건물은 남가좌동 좌원상가 건물이다. 영화 "아수라"에서도 영화 도입부 부분에 중요한 촬영지로 활용된 곳이다. 느와르 영화에서나 볼법한 오래된 건물이다. 그러나 최근 재개발이 확정되면서 곧 현대식 건물로 바뀌게 될 영화 속 촬영지 중의 하나가 되었다. 좌원상가는 건물의 구조나 연식 등이 낡고 쇠락한 도시 이미지를 반영하기에 적절한 곳이다. 영화 "무뢰한"은 오프닝 장면에서 독특한 카메라 움직임이 드러난다. 주차장에서 출발해 좌원상가로 이동하는 궤적을 원 테이크 방식으로 따라가고 있다.

이 영화는 조폭 살인자의 뒤를 쫓는 형사와 그 사이 한 여자가 공통적으로 자리 잡고 있는 삼각 멜로물이자 느와르 장르에 속하는 작품이다. 이 같은 세 명의 캐릭터들이 오고가는 감정은 결과적으로 뺏고 빼앗는 폭력적 관계를 반영한다. 특히, 또 다른 주인공인 박준길은 삼류 깡패로 개발을 통해 수익을 얻는 기생충과도 같은 삶을 유지해왔다. 이들은 서대문 홍은동을 중심으로 부동산 이권 사업을 통해 제도권으로 편입해 왔다. 그러나 이들의 관계에 균열이 일어난 것은 텐프로 출신의 한 여자 때문이다. 제이인베스트먼트 이사장의 연인이었다가 박준길의 여자가 된 혜경이 주인공이다. 이후 이사장과 박준길의 대립 관계가 드러나게 된 것이다.

이 같은 영화 이야기 맥락을 가장 잘 반영할만한 곳이 남가좌동 좌원상가라는 점은 자연스럽고 적절하다. 이 영화는 서대문구 홍은동이라는 특정 지역이 등장한다. 서울에서도 도심 지역이 아니라 약간은 주변부에 있는 공간일 수 있는 곳이다. 뉴타운 사업을 통해 비도심 지역이 재개발이 되는 공간이다. 영화 주인공이나 영화 이야기가 시작되는 지점이 서울 비도심 재개발 지역이라는 의미다. 그리고 서대문구 남가좌동 좌원상가는 바로 그 지점에 가장 부합되는 공간으로 볼 수 있다. 부동산 재개발 수익으로 돈을 벌게 된 조폭들 간의 갈등이 살인 사건으로 연계된다. 그곳에 형사가 투입되면서 본격적으로 인물들 간의 만남이 다양하게 펼쳐진다.

(2) 성남 저층 아파트

영화 "무뢰한"은 전체적으로 2개의 중요한 공간들이 있다. 첫째는 앞서 살펴본 것과 같이 좌원상가 건물이다. 좌원상가는 서울 북부 지역 재개발을 둘러싼 조폭들과 그들 간의 욕망과 대립, 그리고 그 공간에서 살인 사건이 일어난 공간이다. 새벽녘 푸르스름한 빛이 비추는 허름하고 낡은 좌원상가는 영화의 시작점이다. 둘째 공간은 극중 등장인물들이 교차하며 이야기를 이끌어가는 곳으로 여자 주인공 혜경이 거주하는 성남 산동네 저층 아파트다.

혜경은 조폭 남자친구인 박준길을 위해 돈을 마련하기 위해 기존 집을 후배에게 넘긴다. 혜경은 집을 넘긴 후 보증금을 박준길에게 주지만 그는 도박으로 탕진한다. 더 이상 거주 공간이 사라진 혜경은 성남 아파트로 이사하게 된다. 일상적인 삶을 살기 위해 집이라는 공간은 중요하다. 그러나 자신과의 사랑 때문에 조폭 집단을 배신하게 된 준길을 위해 혜경은 집을 포기하게 된다. 그리고 서울이 아니라 근교 도시인 성남의 오래된 아파트로 이사하게 된다.

여기서 성남이라는 도시 공간을 설정한 것은 나름대로 적지 않은 의미가 있는 것으로 보인다. 처음 영화의 시작 부분은 서울이 중심적인 공간이다. 서울의 재개발 사업에 손을 댄 조폭들이 제이인베스트먼트라는 회사를 차려 기생충처럼 이윤을 만들어내는 공간이다. 그러나 이곳에 정착하지 못하게 된 여자 주인공은 서울의 주변부 도시인 성남으로 이사한다. 성남은 분당과 같이 신도시 사업을 통해 발전한 공간이 있는 반면에 구 성남은 오래되고 낡은 연립주택이 많아 재개발을 기다리는 곳이다. 경제적 자원이 줄어들 때마다 도시 거주자들은 점차 중심부에서 주변부로 이동할 수밖에 없다는 것을 드러낸다.

성남은 영화를 통해 의미하고자 하는 상징적 의미 공간이었다. 새로운 개발로 주위가 바뀌어가는 반면 서울 중심적 생활에서 점차 주변으로 이동하는 주인공들을 표현하기 위한 공간적 의미가 있었다. 영화에서는 성남 공간이 나타나지만 촬영지는 군산 명성타운 아파트다. 군산의 아파트 단지를 통해 영화의 공간적 의미를 극대화했다. 제작진들은 성남에서 영화 제작진들이 원하는 아파트를 찾지 못해 군산 명성타운 아파트를 촬영지로 활용했던 것으로 알려진다.

영화 속 저층 아파트는 주인공인 혜경의 심리를 반영하는 공간 구조를 갖고 있다. 오르막길로 수직적으로 오르는 길, 대단지는 아니면서 재건축이나 재개발이 될 것만 같은 낡은 분위기를 연출할 필요가 있었기 때문이다. 감독 오승욱이 여러 후보 중 군산시의 아파트를 선택한 이유는 독특한 진입로 때문이라고 한다. 아파트로 향하는 오르막길을 두터운 기둥이 받치고 있고 그 아래 공간에 주차장이 있는 구조라서, 혜경이 계단으로 올라갈 때 아파트 전체를 보여줄 수 있는 장면을 촬영할 수 있다거나, 재곤이 잠복할 때, 동시 시점에 혜경이 계단을 타고 올라가는 장면을 보여준다거나 하는 촬영상의 장점이 있다는 이유에서 이곳이 선택된 것으로 보인다.

(3) 차

영화 "무뢰한"의 오프닝 장면은 정재곤이 주차된 자신의 자동차에서 나오는 모습으로부터 시작된다. 그의 자동차는 특별하지 않다. 국내 중형 자동차 정도로 파악이 되는 흔한 차이다. 그렇지만 그의 차는 그의 심리와 행동을 설명하는 중요한 공간이다. 오프닝 장면에서 차에서 정재곤이 내리는 장면을 필두로 차 안에서 이루어지는 씬만 대략적으로 세어 봐도 19개 정도이다.

그는 자동차 안에서 식사를 할 때도 있고 형사 일을 수행한다. 정보원들을 취조하는 공간도 경찰서가 아니라 그의 차안이다. 3명의 형사들이 한 팀을 이루어 준길을 추적하는 과정에서 이루어지는 대화도 모두 차 안에서 이루어진다. 그의 중요한 일상생활은 자동차 안에서 이루어진다. 차에서 편의점 도시락을 먹기도 하며 혜경을 감시하거나 미행하기도 한다. 심지어는 도청으로 혜경과 준길의 대화를 엿듣기도 한다. 혜경의 모든 일상생활을 지켜보고 스며드는 공간이 차이다.

혜경에게 가짜 인물로 접근한 이후에는 혜경을 룸살롱까지 데려다주는 목적으로 차가 쓰이기도 한다. 그러나 영화 후반에서는 그의 차는 혜경을 함정에 빠뜨리는 무뢰한의 차로 활용된다. 3천만 원을 빌려준 뒤 혜경이 준길에게 이 돈을 전달하기 위해 만나고 형사들은 이 기회를 놓치려 하지 않는다. 체포과정에서 준길이 칼을 휘두르자 정재곤은 총을 발사해 그를 사살한다. 그리고 이후로는 정재곤의 차는 화면에 등장하지 않는다.

형사 정재곤은 거주지가 없다. 그는 일을 마치면 되돌아갈 곳이 없다. 오히려 그의 거주지는 차다. 자동차는 기존의 주거 방식인 집을 대체하는 공간이다. 혜경과의 대화를 통해 선배네 집에 얹혀산다는 언급이 있었지만 그의 일상 공간은 자동차 안이다. 자동차 안에서 시간을 보낸다. 주인공의 집이 등장하지 않는다는 것은 가족도 등장하지 않는다는 의미이다. 극에서 그는 이혼한 남자의 역할이다. 그가 집에서 가장 편한 모습으로 있었던 장면은 혜경의 수원 저층 아파트에서다. 주인공의 집이 나타나지 않는 영화는 흔하지 않다. 그의 거주지는 이동하는 자동차이기 때문이다.

(4) 단란주점

영화 "무뢰한"을 통해 드러난 혜경의 일터는 단란주점이다. 한때 텐프로 술집 종업원에서 조폭 우두머리, 다시 말해 제인엔터테인먼트 이사장의 내연녀가 되었다가 부하 조폭을 사랑해 그 벌을 빚으로 메꿔야 하는 안타까운 여주인공이다. 그녀는 영화 대사에도 나타나듯이 10년 만에 빚이 5억 원에 아무런 희망이 없는 사람이다. 나락으로 떨어진 혜경이 갈 수 있는 공간은 서울 주변 변두리의 이름 없는 단란주점이다. 게다가 서울에서 살던 집도 후배에게 넘기고 본인은 허름한 저층 아파트에서 산다.

영화 속 단란주점의 위치는 성남 근처로 추정된다. 그러나 실제 마카오 단란주점은 수원에 있었다고 한다. 게다가 아파트는 군산 아파트에서 촬영되었으니 실제 단란주점과 거주지, 극중 단란주점과 거주지 모두 다르다. 영화 속 공간의 구조는 감독과 제작진들의 상상에 따른 배치일 뿐 현실과는 차이가 있다. 영화 속 도시 공간이 서울을 지칭하더라도 실제 촬영지는 서울이 아닐 수 있다. 단지 영화감독은 그 공간이 서울이라고 믿고 촬영을 하는 것이며 관객들은 개별적으로 감독의 의도를 이해할 수도 또는 오해할 수도 있다.

단란주점의 시각적 구성이나 배열, 효과는 그 곳에서 일하는 여자 주인공 혜경의 현실 또는 심리와 맞닿아 있다. 인생의 정점을 지나 사회 밑바닥으로 가는 여자 주인공의 현실을 반영하는 공간이 싸구려 단란주점이기 때문이다. 단란주점이라는 공간은 한때는 돈과 권력을 갖고 있었던 술집 종업원이 점차 수직적으로 내려가는 계층 사다리의 아랫부분에 해당하는 것이나 마찬가지다. 게다가 단란주점에서 이루어지는 혜경과 재곤의 대화는 진정성이 없는 가식적인 대화로 이루어진다. 어둠 속에서 술과 얼음을 먹는 혜경의 고통과 괴로움, 그리고 이를 바라보는 재곤의 가장무도회가 계속된다.

(5) 골목길

영화의 클로징 장면에 나타나는 인천 동구 송림동 골목길과 상가건물은 영화의 결말만큼이나 우울하다. 지저분한 골목길, 그리고 사이 판자집 같은 곳에서 마약환자를 돌보는 혜경의 막장 골목과도 같은 공간이다. 골목길 사이사이 빛도 제대로 들어오지 않는다. 이 공간에서 혜경과 재곤은 골목길에서 서로 마지막으로 포옹한다. 사랑일까? 미움일까? 재곤은 사랑의 마음으로 혜경에 다가섰지만 혜경은 미움과 증오의 마음으로 그를 공격하는 선택을 했다. 이들의 포옹은 기대했던 포옹이 아니다. 햇볕도 들지 않는 골목길 근처에서 재곤은 혜경의 칼에 찔린다. 그리고 그는 골목길을 비틀거리며 걸으며 언덕으로 올라 아파트와 건물이 가득한 푸르스름한 도시의 야경을 뒤로 한 채 영화는 끝을 맺는다.

오프닝 장면에서 정재곤이 걷던 곳이 남가좌동 좌원상가인데 비해 클로징 장면에서 그는 인천 송림동 현대상가의 어두운 골목길을 배회한다. 영화 처음과 끝 장면의 공간 구성이나 재곤의 비틀거리는 걸음 자체가 서로 대칭적으로 연결된다. 그의 걸음걸이는 혜경과의 관계를 의미하듯이 불안정하다. 그리고 그가 걷던 길과 골목들도 처음과 끝이 유사해 보인다. 영화에 나타난 송림동 골목길은 어둡고 좁은 오래된 느낌이다. 송림동은 인천 구도심 지역이다. 송림동 고지대는 시간의 흔적이 아직도 많이 남아 있는 낡은 공간이다.

영화 "무뢰한"은 첫 장면이나 끝 장면 모두 낡고 오래된 도시 공간을 바탕으로 촬영되고 있다. 그리고 공통적으로 낡은 공간 뒤로 새롭게 올라가는 재건축 아파트들이 서 있다. 곧 무너질 것만 같은 도시 공간과 이면의 재개발, 재건축 아파트는 독특한 대조적 구조이다. 그리고 이 같은 공간 구조는 영화 “무뢰한” 속 남자와 여자 주인공 간의 무너질 것만 같은 불안정한 관계를 상징한다.

10) 재건축과 고양이: 고양이들의 아파트

다큐멘터리 영화 "고양이들의 아파트"는 재건축을 목적으로 철거되고 있는 대단지 아파트에서 갈 곳 잃은 길고양이들에 대한 이야기다. 아파트는 사람들의 거주공간이기도 하지만 그곳에서 살아가는 다양한 생명체들의 삶의 공간이기도 하다. 그 동안 우리들은 아파트를 인간이 살아가는 집이나 재화로 인간의 관점에서만 바라보았을 뿐 공생하는 생명체의 관점에서 아파트 단지를 생각해 본 적은 거의 없을 것이다.

오래된 아파트는 언제라도 경제적 가치를 높이기 위해 부숴버리고 해체할 수 있는 소모품이었을까? 그 아파트에서 살던 생명체들, 가령 길고양이와 나무들은 아파트 철거로 삶의 공간이 사라지고 있는 것에 대해 어떤 생각들을 하고 있었을까?

사람은 오랫동안 살아왔던 집이라 하더라도 재건축이나 재개발을 통해 경제적 가치를 높일 수 있다면 자기가 거주하던 공간을 허물고자 하는 욕망이 있다. 새로운 집과 높아진 가격대의 집을 두 손에 잡을 수 있기 때문이다. 그러나 그 공간에서 태어나고 자란 길고양이들은 무방비로 삶의 터가 사라지는 변화를 받아들여야 한다. 영화 "고양이들의 아파트"는 둔촌동 주공아파트 재건축이 추진되면서 이 공간에서 살아가던 250여 마리의 고양이들의 삶을 다룬 다큐멘터리 영화다.

그 동안 살펴본 재건축이나 재개발을 다룬 영화들은 그 속에 살아가는 사람들의 삶과 관계들에 집중한다. 반면에 영화 "고양이들의 아파트"와 같이 둔촌주공아파트 단지 내에서 태어나 살아가는 길고양이들을 바라본 영화들은 거의 없을 것이다. 이들 고양이들은 가정에서 반려동물로 키우는 동물이 아니라 길냥이들이다. 따라서 그 누구도 이들을 보호하거나 지원하기가 어렵다. 소유주가 있지 않기 때문에 그 만큼 보호가 어렵다. 캣맘들을 제외하면 길냥이들에 대한 사람들의 시선은 냉정하다. 이들은 길냥이들이 알아서 생존해야 한다거나 또는 공동체에서 지원할 수 있는 다른 대안이 없다는 등의 반응을 보이는 것이 일반적이다.

이 영화를 연출한 정재은 감독은 둔촌주공아파트 재건축이 그곳에서 살아가는 사람들뿐만 아니라 고양이와 같은 동물에게까지 미치는 영향을 다각도로 살펴보고자 했다. 둔촌주공아파트 길고양이들의 본적과 주소지는 둔촌주공아파트이다. 그러나 재건축이 진행되고 건물이 철거되면서 그들이 가야할 길은 점차 사라지고 있다. 길고양이들이지만 아파트 단지 주민들과 오랫동안 교류해왔고 친숙해졌던 생명체들의 험난한 여정이 시작될 수밖에 없는 것이다.

사람들이 재건축이나 재개발과 같이 더 나은 삶을 살고 부유해지기 위한 선택이 같은 공동체에서 살아가는 길고양이들과 같은 생명체들에게는 대책 없는 선택이 될 수도 있다. 영화 "고양이들의 아파트"는 도시 공간의 변화가 사람뿐만 아니라 고양이들의 삶과 그들과의 관계를 바꿀 수 있다는 것을 담담하게 그리고 있다. 그리고 그 촬영지는 오직 한 곳, 둔촌주공아파트이다.

영화 "고양이들의 아파트"에서 나타난 주요 공간별 특성을 살펴보면 다음과 같다.

(1) 둔촌주공아파트

영화 "고양이들의 아파트"가 펼쳐지는 공간은 둔촌주공아파트다. 그리고 이 영화에서는 단 하나의 공간, 둔촌주공아파트와 주변 지역이 등장한다. 아파트 관리처분 이후 거주민들이 모두 떠나가게 된 둔공주공아파트 내부와 외부 정원이나 상가, 그리고 인근 도로와 건물 정도가 영화 공간 구성의 모두다.

이삿짐을 챙겨 빠르게 아파트 단지를 빠져 나가던 주민들의 모습, 그리고 황량한 도시의 사막과도 같이 텅 비어버린 아파트 공간에 고양이들만 덩그러니 남게 된다. 그마저도 아파트 재건축이 이루어지면서 단지 내 나무들은 뽑혀 나가고 건물은 사라지는 시나리오는 예정대로 진행된다.

영화 "고양이들의 아파트"가 그리는 둔촌주공아파트는 공간적으로는 단순하다. 마치 아프리카 정글에서 이루어지는 동물들의 일상적 삶을 다큐멘터리로 촬영하는 것과 같이 이 다큐멘터리 영화에는 하나의 거대한 아파트촌이 등장하게 된다. 거대한 그러나 나름 동질성을 공유하는 아파트 단지에서 일어나는 길고양이와 인간의 교류, 인간들이 모두 떠난 아파트 공간에서의 고양이들의 삶, 그리고 아파트에 고립된 고양이들을 구조하기 위한 인간들의 조직 활동 정도가 영화 이야기를 한 단계씩 이끌어가는 힘이다.

아파트라는 공간은 역동적이다. 그 단지 안에 많은 주민들이 살고 있는 지역 공동체이기 때문이다. 따라서 아파트 단지 하나만 선택해 영화를 촬영하는 것도 흔한 일일 수 있다. 다만, 아파트는 집합 건물로 닫힌 또는 독립된 공간 구조를 갖고 있다. 그래서 아파트는 공포나 스릴러, 범죄 장르의 영화를 촬영하는 공간으로 많이 활용되어 왔다. 영화 "숨바꼭질"이나 "목격자", "이웃사람" 등이 대표적이다. 아파트 공간을 추억하거나 그 의미를 찾았던 영화는 흔하지 않아 보인다. 영화 "벌새" 정도가 1990년대 강남 은마 아파트를 기억하는 공간으로 활용되었다.

물론 재건축이나 재개발과 같이 도시 정비 사업을 통해 사라지게 될 아파트를 기억하기 위해서도 다큐멘터리 영화들이 종종 제작되기도 했다. 영화 "집의 시간들"은 철거를 앞둔 둔촌주공아파트와 나무들, 주위 공간들을 하나하나 기록한 작품이다. 이 아파트에만 1만 그루에 달하는 나무들이 마치 숲을 이루고 있었다. 나무들 하나하나가 그곳에 살던 사람들의 시선과 관심을 받았던 관계의 구성물이기도 하다. 아파트 단지에서 태어나고 자란 사람들은 아파트가 마치 자신의 고향과도 같다. 수몰지 주민들이 댐 건설로 사라진 고향을 추억하는 것과 마찬가지로 철거된 아파트 단지에서 자라고 성장한 사람들의 공유된 경험은 강렬하게 그 기억이 남아 있게 된다.

1979년 준공된 둔촌주공아파트는 거의 6천여 세대가 거주하던 도시 속의 또 다른 작은 도시였다. 한국의 거주 및 집 문화가 아파트와 같은 많은 사람들이 거주하는 집합건물 위주로 이루어지면서 아파트는 작은 도시이자 삶의 터전이었다. 아파트 단지는 거주민들이 하루하루 살아가는 삶의 경계이자 동질성을 확인할 수 있는 공간이었다. 아파트에서 자라난 아이들은 아파트 키즈로 성장해 성인이 된다. 그들이 경험한 공간은 아파트와 학교가 대부분일 것이다. 둔촌주공아파트는 세대 수가 많아 그 자체가 하나의 지역공동체로 주민들의 삶이나 일상생활에 많은 영향을 끼쳤던 것으로 보인다.

지금이야 아파트 주민들의 교류나 공동체 활동이 많이 줄어들기는 했지만 오래된 아파트 단지들은 나름 주민들 간의 소통이 적지 않았다. 특히, 1980년대와 1990년대에 완공된 아파트들은 각각의 단지별로 교류와 행사들이 나름대로 있었다. 둔촌주공아파트 역시 둔촌축제라는 동네 축제가 있었다. 지역 주민들이 한 날 한 시에 모여 장기자랑이나 운동회를 개최하고 같이 웃고 공감하던 일들이다. 이 같은 경험들은 주민들에게 공유된 추억으로 남겨져 둔촌주공아파트라는 건물과 공간에 대한 기억을 유지하는 이유가 되었다. 주민들 간의 공유된 기억은 거주 공간이 소멸된다 해도 남아 있게 된다.

둔촌주공아파트 역시 그리 오래되지 않은 연식에도 2000년대 초반부터 본격적으로 재건축 논의가 이루어졌다. 아파트 소유자들은 재건축을 통해 더 좋은 아파트를 소유하는 동시에 경제적 가치를 높일 수 있으리라는 희망을 갖고 있었다. 집은 사람이 살아가는 공간이기도 하지만 한편으로 부를 창출하고 자산을 증식시킬 수 있는 수단일수도 있다.

게다가, 둔촌주공아파트가 대중적인 관심을 끌게 된 이유는 가장 규모가 큰 초대형 재건축 사업이었다. 둔촌주공아파트는 6천여 세대에서 재건축 이후 총 1만 2천세대로 2배 이상 세대 수를 늘렸다. 미니 신도시급의 아파트 단지다. 그러나 사람들의 관심은 둔촌주공아파트가 재건축된 이후 그 경제적 가치에만 집중되어 있었을 뿐이다.

재건축이 추진되기 이전에 둔촌주공아파트는 독립적인 공동체를 유지했다. 6천 가구가 살아가는 아파트 공간에 지하철역만 2개에 학교와 각종 편의시설들이 들어서 자족적인 도시 기능이 가능했기 때문이다. 아파트가 조성된 지 시간이 흘러감에 따라 숲과 나무들도 울창해졌다. 아파트 단지 내에 나무만 1만 그루를 넘어섰다. 거주 공간이자 도시 속 도시로 둔촌주공아파트는 사람과 동물, 식물이 서로 어울려 같이 생존하는 생태 공간이었다.

둔촌주공아파트의 봄, 여름, 가을, 겨울은 다르다. 시간의 흐름에 따라 색감과 공간감이 다르게 느껴지기 때문이다. 영화에서도 아파트 공간 사이로 오고가는 고양이들은 철마다 다른 느낌과 모습으로 다가온다. 그래서 재건축으로 인해 이곳 둔촌주공아파트를 떠났던 주민들은 여기의 사계를 그리워한다. 둔촌주공아파트는 겉으로 보면 특이할 것 없는 아파트였지만 그곳에서 태어나고 자라고 성장했던 주민들에게는 하나의 우주와도 같은 공간이었을 것이다.

그런 이유로 둔촌주공아파트의 흔적들을 남기기 위한 노력들도 적지 않았다. 사진집을 만들거나 추억을 기록하거나 미술 전시회를 개최하는 등 여러 가지 활동들이 계속 되었다. 특히 "안녕 둔촌주공아파트 프로젝트"는 재건축으로 사라지게 될 아파트의 흔적들을 남겨 놓는 작업들을 맡았다. 특정 아파트의 재건축을 놓고 입주민들이 이렇게 관심과 열정을 보이는 것은 흔한 일이 아니었다. 그만큼 그들은 아파트 자체에 대한 애정과 추억이 있었다.

둔촌주공아파트는 영화 "고양이들의 아파트"에서 가장 핵심 공간으로 등장한다. 다만 재건축이 진행되는 시간적 순서에 따라 아파트 공간의 성격도 달라졌다. 첫째, 둔촌주공아파트는 철거가 이루어지기 이전에 주민들과 고양이가 교류하고 공존하는 공간이었다. 길고양이들이지만 이들에게 이름이 붙기도 했고 먹이를 주는 캣맘들도 적지 않았다. 오랫동안 둔촌주공아파트에서 살아온 주민들에게 길고양이들은 같은 삶을 살아가는 식구나 마찬가지였다.

둘째, 둔촌주공아파트 내 공간의 변화는 주민들이 아파트 철거를 위해 이주하면서부터 시작된다. 사람들은 사라지고 거대한 아파트 단지에 남은 것은 길고양이들 뿐이다. 그들과 교감하고 교류하던 아파트 주민들은 더 이상 남아 있지 않다. 이는 공간이 의미를 갖기 위해서는 그 공간에서 살아가는 주체들이 있어야 한다는 것을 의미한다. 똑같은 공간적 구성이더라도 공간의 주인공들이 서로 교류하고 영향을 미치고 받는 관계가 필요하다. 둔촌주공아파트 주민들이 이주한 다음에는 텅 빈 아파트와 도로, 상가건물들은 고양이들의 차지가 되었다. 주민들이 빠져나간 공간이 길고양이들에게는 잠깐의 파라다이스가 될 수 있었겠지만 그 즐거움은 오래갈 수 없었다.

셋째, 아파트 철거가 본격화되면서 둔촌주공아파트 건물들은 하나둘씩 무너져 내렸다. 둔촌주공아파트 공간에는 아무 것도 남지 않은 허허벌판만 남게 되었다. 이곳에 그렇게 사람들이 많이 살았던 아파트 공동체였다는 사실은 그곳에 살았던 사람들의 기억 속에 남아 있을 뿐이었다. 그리고 아파트 재건축 철거가 이루어지기 이전에 길고양이들에 대한 이주작전이 시작되었다. 이 영화에서 가장 중요한 장면들이다. 고양이들의 성격이나 습관을 감안해 다른 사람들에게 입양을 보내거나 또는 인접 공간에 이주시키는 작전이 개시되었다. 그러나 고양이들의 회귀본능으로 다시 둔촌주공아파트로 돌아가는 고양이들도 있었다. 그 공간을 떠나고 싶지 않은 마음은 고양이들이나 사람들이나 마찬가지였던 것 아닐까?

3. 마무리

이 책을 통해 총 10개의 영화에 포함된 주요 공간들을 분석했다. 이 책이 다룬 10편의 영화들은 “귀여워”, “짝패”, “비열한 거리”, “해바라기”, “염력”, “소수의견”, “아수라”, “벌새”, “무뢰한”, “고양이들의 아파트”이다. 장르로 보면 “짝패”와 “비열한 거리”, “해바라기”, “아수라” 등은 범죄 및 액션에, “귀여워”와 “염력”은 코믹 판타지, “벌새”는 자전적 드라마, “무뢰한”은 느와르 형사, “소수의견”은 법정 드라마, “고양이들의 아파트”는 다큐멘터리 작품이다. 비교적 다양한 장르의 영화들이 분석에 포함되었다. 각각의 영화들의 특성을 살펴보면 다음과 같다.

영화 “귀여워”는 4명의 남자와 1명의 여자, 이렇게 5명의 주인공들이 황학동 삼일아파트 철거 현장을 배경으로 마주하는 다양한 관계들을 영상화했다. 일견 비윤리적으로도 보이는 막장 가족의 이야기를 다루고 있지만 도시 주변부를 맴도는 가난한 자들의 유쾌하면서도 기이한 드라마다.

이 영화는 주인공들의 직업이나 행동 등 사회적 주변부에 속하는 사람들의 이야기를 다루면서 공간적으로도 황학동 재개발 철거 현장을 중심으로 촬영이 이루어져 이야기와 공간적 일치 정도를 높였다는 장점이 있다. 추론적 결론이기는 하지만 가난한 자들에게는 재개발이 반복되어도 그들에게 안정적인 주거지를 제공하거나 또는 서로 의지하고 힘이 되는 가족을 유지하는 것은 아니라는 점이다.

영화 “짝패”는 온성이라는 가상 도시를 배경으로 하는 범죄 및 액션 영화다. 온성은 대략 온양으로 지칭되고 있으며 온성 관광특구 지정에 따라 새로운 부에 대한 열망이 가득히 차오르는 곳이다. 어렸을 때 고향 동네 친구들이었던 태수와 석환, 필호, 동환, 왕재 등이 동네 개발에 따른 욕망으로 인해 서로 싸우는 관계로 바뀐다는 이야기다.

어린 시절 둘도 없이 친했던 이들이 서로 갈라서기 시작한 이유는 동네 관광특구 지정에 따른 개발 추진 때문이다. 그러나 고향 개발이라는 미명하에 시작된 지역 개발이 어린 시절 친구들 모두에게 부정적 결과를 초래했다는 점에서 이 영화는 개발 패러다임을 비판한다.

영화 "비열한 거리"는 시인 유하가 감독한 조폭 등장 액션물이다. 특히 주인공인 병두는 조폭이지만 양아치가 아닌 품위 있는 건달을 지향하는 인물이다. 그러나 그는 부하들과 함께 재개발 지역을 돌아다니며 가난한 사람들을 내쫓는 일을 도맡는다. 게다가 보스의 부탁으로 살인까지 하는 범죄자가 되지만 그마저 폭력 조직으로부터 배신당하는 사람이다. 그는 소박하게 안정적인 가정과 사랑을 갈망하는 평범한 사람이지만 건달이라는 구조적 굴레에서 벗어날 수 없다.

이 영화가 다루는 비열한 거리는 바로 배신과 관계, 욕망 등을 포괄하는 사회적 공간이다. 영화 "비열한 거리"는 도시의 일상적인 삶을 원하는 조폭 같지 않은 평범한 시민, 병두가 돈이라는 욕망에서 벗어나지 못하고 모든 관계들로부터 하나하나 무너지는 과정을 그린 작품이다.

영화 "해바라기"는 원수의 관계지만 새로운 가족이 된 세 식구가 의지하는 해바라기 식당이 재개발 부지에 포함되어 조폭들이 사사건건 개입하게 된 이야기를 그린다. 조폭들이 해바라기 식당을 부수고 가족들까지 위협하면서 주인공 태식이 이들에게 복수한다는 내용으로 이어진다.

이 영화는 가족의 의미가 무엇인지 원래의 가족은 아니지만 새로운 가족이 되었을 때 가족을 지키기 위한 일이 무엇이 있는 것인지 질문하게 된다.

그리고 가족의 공동체를 유지해왔던 작은 해바라기 식당이 조폭들과 지역 유지의 탐욕과 욕망으로 하루아침에 망가지는 인과적 이야기를 구성하고 있다. 전체적으로 영화는 범죄와 액션물에 가깝지만 영화에 흐르는 기본적인 정서는 가족이라는 울타리 안에서의 사랑, 그리고 가족을 지켜야 한다는 당위성이다.

영화 "염력"은 독특한 코미디 판타지 장르의 작품이다. 평범한 시장에서 치킨 집으로 대박 났지만 대기업과 재개발 용역들의 급습으로 일터를 빼앗기게 된 주인공과 인근 상인들이 협력하는 동시에 염력이라는 초능력을 통해 시장을 지킨다는 줄거리이다. 이야기 구성은 참신하기도 하지만 현실성은 높지 않다. 게다가 치킨 집 주인공인 석헌이 초능력을 발휘하게 되는 이유와 결과에 대한 설명도 모호하고 그가 시장 사람들 모두를 구한다는 내용도 진부한 측면이 있다.

그럼에도 약하고 가난한 사람들에게는 판타지적으로 늘 영웅이 필요하다는 점에서 속이 뻥 뚫리는 시원함이 있는 작품이다. 이 영화는 단순하게 초능력자 석헌과 그의 딸 루미, 인근 상인들은 착한 사람들로, 반면에 악덕 대기업과 그의 청부를 맡는 재개발 용역들은 철저히 악한 사람들로 구분한다. 그리고 이야기는 권선징악의 프레임을 벗어나지 않는다.

영화 "소수의견"은 재개발 현장에서 벌어진 비극적인 상황을 그린 작품이다. 용산참사를 모티브로 제작된 소설을 원작으로 만들어진 영화다.

재개발 철거에 반대하는 철거민들, 그리고 이를 진압하려는 경찰과 용역 깡패들 간의 충돌 이후에 서로 각각 사망 사고가 발생한다. 여기까지는 사건 진행 사항인데 반해 중반 이후부터는 법정 공방으로 영화가 흘러간다. 무엇이 진실인지 치열하게 양측의 법정 공방이 이루어지지만 진실은 덮인다.

이 이야기는 용산참사를 바탕으로 구성된 것이며 실제 옥상에서의 진압 장면 등은 거의 유사성이 높아 보인다. 다른 영화와는 다르게 "소수의견"은 전형적인 재개발 철거민들의 반대와 이를 강제 진압하는 경찰과 용역 간 직접적인 충돌을 다룬다. 이 영화는 등장인물들의 감정이나 맥락을 설명하기 보다는 법적 논의를 중심으로 집중되는 특성이 있다.

영화 "아수라"는 안남시라는 가상공간을 무대로 벌어지는 부패의 고리와 악인들 간의 한판 승부를 다루고 있다. 안남시는 부패한 시장과 여기에 기생하는 시의원, 외국인 조폭, 경찰들의 무리들, 이를 제압하려는 악질 검사와 검찰수사관들이 서로 극단으로 전쟁에 나선다. 안남시라는 공간은 가상공간이지만 실제로는 재개발 관련 부정부패와 외국인 노동자들이 가득 차 있는 곳이다.

이 영화는 안남시가 마치 영화 "배트맨"에서 나온 고담시와 마찬가지로 어둠과 부패의 공간이라는 것을 가정한다. 안남시 도시 재개발을 놓고 이루어지는 시장과 시의원들 간의 담합 및 마찰이 적나라하게 드러나고 이들의 불법의 단서를 잡으려는 악질 검사와 검찰수사관들도 불법적으로 활동에 나선다. 영화의 백미는 마지막 장례식 장면이다. 악인의 도시 안남시에서 활동하던 모든 주인공들이 장례식장에서 만나 서로를 제거하려다 모두가 제거된다는 결말이다.

이 영화는 서울 근교 도시에서 벌어지는 도시 재개발 사업이 부정부패한 시장과 조폭, 경찰 등이 연합해 수익을 독점하려는 시도에서 시작된다. 도시 공간을 바꾸려는 욕망이 권력자들의 경제적 수익에 대한 욕망과 서로 맞닿아 있다는 설정이다.

영화 "벌새"는 1990년대 강남 대치동에 거주하는 14세 중학교 2학년 여학생의 성장 이야기를 다룬다. 주위 사람들로부터 사랑을 받고 싶지만 강남에서 떡집을 운영하는 부모는 무관심한데다가 아버지와 오빠는 가부장적 권력까지 휘두른다. 공부에 관심이 없는 언니는 강남 학교를 다니지 못하고 강북으로 통학한다. 학교 선생님은 서울대 입시만을 반복적으로 외치고 친구들이나 후배들은 쉽게 배신하거나 마음을 나누지 못한다. 10대의 소녀가 성장하는 과정에서 그녀의 말을 들어줄 유일한 사람은 한문학원 선생님이다. 그리고 주인공이 병원에 입원해 수술을 받은 후에 같은 병실에 있는 사람들로부터 위로를 받자 그녀는 편안함을 느끼게 된다. 그러나 1994년 성수대교가 붕괴되면서 그녀는 선생님을 잃게 되지만 언니에 대한 안부를 확인하게 되고 다시 인생의 새로운 단계로 도약하게 된다는 이야기다.

이 영화를 통해 1994년 전후 강남의 대치동을 주변으로 은마 아파트와 한자 학원, 재개발 부지 등이 이야기를 뒷받침하는 핵심 공간으로 등장한다. 명확하게 드러나지는 않지만 대치동 인근 재개발 부지와 재개발 반대 구호나 깃발 등이 등장하고 있다는 점도 주목할 만하다. 1990년대 강남 대치동은 부동산 광풍으로 사람들의 관심이 많은 지역인데다가 이를 반대하는 사람들도 적지 않았다는 일상적 모습들을 그리고 있다.

영화 "무뢰한"은 느와르 멜로 장르에 속하는 작품이다. 영화의 오프닝 장면에서부터 재건축 공간이 등장하고 주인공 형사가 구부정한 모습으로 살인 현장으로 천천히 걸어가는 모습이 잡힌다. 범인을 잡기 위해 대부분 차량에서 잠복하던 그는 살인자의 정부에 관심을 느끼다가 사랑에 빠진다. 영화 전편에 걸쳐 형사의 집은 전혀 등장하지 않는다. 그는 차량 또는 선배 집, 또는 그녀의 집을 전전하며 거주 안정성이 전혀 없는 사람이다. 한편, 사회 밑바닥에서 생활하던 살인자의 정부의 일상 공간은 대부분 술집이지만 그녀가 거주하던 영화 속 성남의 아파트는 다의적인 의미를 갖고 있던 공간이다. 형사가 잠복하면서 그녀의 목소리를 도청하기도 하며 사이사이로 살인자가 그녀를 찾아오고 그와 형사가 격투를 벌이기도 한 곳이다.

결정적으로 일시적으로 마음의 문을 연 살인자의 정부가 형사에 관심을 느끼게 된 곳이 허름한 도시의 아파트 모습이다. 그러나 형사가 살인자를 사살하고 난 후에 두 명의 주인공은 헤어진다. 푸르스름하고 어둑한 도시의 뒷골목에서 다시 만난 이들은 여자가 형사를 찌르면서 영화는 결말이 난다.

이 영화의 공간은 재개발 공간, 성남 저층 아파트, 인천의 오래된 골목길 등이 핵심이다. 추가로 자동차와 단란주점도 이야기를 연계하는 공간으로 등장한다. 영화의 특성이 형사가 살인범을 추적하는 과정에 살인범의 정부와 사랑에 빠진다는 내용인 만큼 일부 액션 장면이 나오기는 하지만 대체로 주인공들의 감정 흐름에 의존하는 영화다. 따라서 공간적으로 낡고 허름한 공간 구성이 중심이며 그 중심이 마치 재개발 직전의 성남 저층 아파트다. 영화 오프닝부터 마무리 장면에 이르기까지 좌원상가, 저층 아파트, 인천 구도심 골목길 등 어둡고 칙칙한 도시 공간 구성이 이루어진 영화다.

영화 "고양이들의 아파트"는 다른 영화와는 다르게 장르가 다큐멘터리다. 게다가 고양이가 주인공이다. 대부분의 영화들이 재개발이나 재건축 공간을 통해 인간의 욕망이나 갈등, 싸움 등을 표현해왔다. 그러나 둔촌주공아파트와 같이 재건축이 추진되면서 그곳에서 살던 길고양이 250여 마리의 운명과 일상생활을 그린 다큐멘터리 영화는 처음인 듯싶다. 이 다큐멘터리 영화는 도시 공간을 바꾸는 아파트 재건축이 인간의 욕망을 반영해 추진되는 것은 사실이지만 그 동안 우리가 놓쳤던 또 다른 생명인 고양이들에 대한 관심이 필요하다는 점을 강조하고 있다.

이 다큐멘터리 영화는 오직 하나의 공간만을 활용하고 있다. 바로 둔촌주공아파트다. 지금은 재건축이 진행되어 새로운 아파트로 탈바꿈한 곳이다. 주인공은 사람들이 떠나가 버린 둔촌주공아파트 내부와 외부에서 오고가는 길고양이들이다. 다만, 이 영화에서 길고양이들은 각자의 이름을 부여받고 있다. 이름이 없는 고양이가 아니라 그 동안 다양한 방식들을 통해 사람들과 관계들을 맺어왔던 고양이들이다. 다만, 공간적 단순함을 극복하기 위해 이 영화는 봄, 여름, 가을, 겨울 등 계절 변화에 따라 길고양이들을 촬영하면서 그들의 움직임이나 변화들을 프레임 안으로 끌고 들어왔다.

이 책에서 분석한 10편의 영화들을 살펴보면, 장르적으로 다양한 작품들이 포함된 가운데 범죄 및 액션물이 많다. 그 만큼 도시 공간은 범죄와 액션, 그리고 욕망이 섞인 어두운 공간으로 그려지고 있다. 이 같은 특성은 다른 장르 영화에도 적지 않은 특성들을 공유하고 있다. 도시 공간에서의 재개발이나 재건축은 그 만큼 현실적인 쟁점이지만 관계된 사람들의 이해관계가 첨예할 뿐 아니라 욕망들의 제로섬 게임 공간이다. 내가 개발 이익을 많이 얻게 될 때 타자들의 이익 규모는 줄어드는 게임이다.

그래서 내가 살던 공간을 지키고자 하는 욕망과 그 공간을 빼앗아 경제적 수익을 늘리려는 욕망은 갈등한다. 그 주체가 사람이든 조폭이든 동물이든 큰 관계는 없을 것이다. 특히 낡은 도시의 구도심이나 지방 소도시, 대도시 인근 주변 도시들일수록 재개발이나 재건축과 같이 공간의 변화에 민감하게 반응한다. 오래된 공간에 오래된 사람과 동물들이 살고 있지만 그 낡음이 철거라는 선택의 기로에 직면하기 때문이다.

그래서 재건축이나 재개발과 같이 도시 개발 사업은 늘 사회적 갈등과 양보 없는 싸움이 이어진다. 자신들의 권리를 찾고 지키기 위한 자, 그리고 새로 욕망을 투사한 이익을 얻고자 하는 자들 간의 승부나 마찬가지일 것이다.

도시 공간의 재개발이나 재건축과 같은 도시 정비 사업은 도시에 거주하는 개인들에게 많은 영향을 미친다. 새로운 아파트 단지가 들어서고 새로운 상권이 만들어지는 이점도 있지만 가난한 사람들은 살던 곳에서 쫓겨나고 더 멀고 주변부 지역으로 이동하게 된다. 거주지의 불안정성, 그리고 부자와 가난한 자의 양극화는 더욱 심화될 수 있다. 그 과정에서 자신들의 권리를 지키려는 사람들 간에는 언제나 팽팽한 긴장감이 생겨날 수밖에 없다.

도시의 공간을 바꾸려는 사람들에게는 욕망이 큰 편이다. 욕망의 방향은 다양하게 다르겠지만 공간의 변화를 통해 경제적 가치를 높일 수 있다는 희망으로 연계된다는 점은 공통적이다. 재건축이나 재개발을 통해 거주하고 있던 아파트의 지분을 확대하고 가격을 높일 수 있으리라는 일반 서민들의 욕망, 아파트 단지 개발을 통해 차익을 개발하려는 건설업자와 철거 용역들의 욕망, 구도심을 개발해 세수를 늘리고 현대적인 도시 공간을 만들려는 지자체의 욕망 등등 도시 공간의 개발은 많은 사람들의 욕망의 크기와 직접 연결된다.

영화마다 도시의 공간을 그리는 작업은 서로 다르다. 재건축이나 재개발을 통해 도시가 바뀌어가는 모습에 대한 영화 제작자들의 시선이나 철학이 다르기 때문이다. 영화에서 선택된 공간은 감독을 포함해 제작진들의 상상력에서 출발한다. 영화에서 드러난 도시 공간의 변해가는 모습들은 영화가 의도하는 주제나 소재와 연결되며 당시의 시간적 속성을 반영한다. 도시 공간의 변화를 다룬 영화들은 공간 속에 담겨진 시간적 의미와 사람들을 주목함으로써 영화의 의미를 완성하게 된다.

참고문헌

논문

김소영(1994). 서울, 영화 속의 도시. 문화과학 5, 95-120.

전범수(2021). 2000년대 이후 한국 영화에 재현된 도시 정비 공간의 속성들에 대한 탐색적 연구. 한국소통학보 20(4), 479~506.

주영하(2008). '주막'의 근대적 지속과 분화 : 한국음식점의 근대성에 대한 일고(一考). 실천민속학 연구 11, 5~28.

신문

중앙일보, 2023년 1월 3일자 기사

서울신문, 2007년 2월 2일자 기사

웹자료

https://entertain.naver.com/read?oid=047&aid=0000053912

https://www.seoul.co.kr/news/2016/08/30/20160830025006